EL PODER *de la* CONCIENCIA

NEVILLE

Traducción de
Marcela Allen Herrera

www.wisdomcollection.com

The Power of Awareness
Neville Goddard
Traducción al español
El Poder de la Conciencia
Publicado en Estados Unidos

Wisdom Collection LLC.

www.**wisdom**collection.com

ISBN: 978-1-63934-010-1

Deja el espejo y cambia tu cara.
Deja el mundo y cambia los conceptos de ti mismo.

PRESENTACIÓN

La presente edición es la traducción al español del libro publicado en el año 1952, "The Power of Awareness", una de las grandes obras del célebre místico, Neville Goddard.

En este libro, Neville, nos entrega la clave para lograr un conocimiento más profundo sobre la verdadera naturaleza del ser; mostrándonos que la conciencia es la sola y única realidad y que las circunstancias o condiciones son solo el producto de nuestra propia conciencia.

Por medio de estas valiosas enseñanzas, aprenderás cómo usar este conocimiento para hacer realidad tus más preciados sueños y transformar tu mundo.

"Toda la Creación existe en ti y tu destino es hacerte cada vez más consciente de sus infinitas maravillas y experimentar cada vez más y más grandes porciones de ella. Tú mismo eres tu imaginación y el mundo como tu imaginación lo ve, es el mundo real"

M.A.H

CONTENIDOS

El Poder *de la* Conciencia

CAPÍTULO 1

YO SOY

"Todas las cosas, cuando son admitidas, son manifestadas por la luz: porque todo lo manifestado está hecho por la luz". (Efesios 5:13)

La "luz" es la conciencia. La Conciencia es una, manifestándose en legiones de formas o niveles de conciencia.

No hay nadie que no sea todo lo que existe, porque la conciencia, aunque expresada en una infinita serie de niveles, no es divisional. No hay separación real o división en la conciencia. Yo Soy no puede ser dividido. Yo puedo considerarme rico, pobre, un mendigo o un ladrón, pero el centro de mi ser permanece siendo el mismo, independiente del concepto que mantengo de mí mismo. En el centro de la manifestación hay un solo Yo Soy manifestándose en legiones de formas o conceptos de sí mismo, y "Yo soy el que Soy".

Yo Soy es la autodefinición del absoluto, la fundación en la cual todo descansa. Yo Soy es la primera causa-sustancia. Yo Soy es la autodefinición de Dios.

"Yo Soy me ha enviado a ustedes". (Éxodo 3:14)
"Yo Soy el que Soy". (Éxodo 3:14)
"Quédate quieto y sabrás que Yo Soy Dios". (Salmos 46:10)

Yo Soy es un sentimiento de conciencia permanente. El centro mismo de la conciencia es el sentimiento de Yo Soy. Yo puedo olvidar quien soy, dónde estoy, qué soy, pero no puedo olvidar que Yo Soy. La conciencia de *ser* permanece, sin importar el grado de olvido de quién, dónde y qué soy. Yo Soy es aquello que, en medio de innumerables formas, es siempre el mismo.

Este gran descubrimiento de causa revela que, bueno o malo, el individuo es realmente el árbitro de su propio destino y que el concepto que él tenga de sí mismo determina el mundo en el que él vive (y su concepto de sí mismo son sus reacciones hacia la vida). En otras palabras, si tú estás experimentando problemas de salud, sabiendo la verdad de la causa, no puedes atribuir la enfermedad a ninguna otra cosa más que a tu particular arreglo de la causa-sustancia básica, un arreglo que fue producido por tus reacciones a la vida y es definido por tu concepto "Yo estoy enfermo". Es por esto que se te ha dicho "Deja que el hombre débil diga "Yo soy fuerte" (Joel 3:10) ya que, por su asunción, la causa-sustancia – Yo Soy- es reorganizada y, por lo tanto, debe manifestar aquello que la reorganización afirma. Este principio gobierna todos los aspectos de tu vida, ya sea social, financiero, intelectual o espiritual.

Yo Soy es esa realidad a la cual, pase lo que pase, debemos volvernos para una explicación del fenómeno de la vida. Es el concepto del Yo Soy el que determina la forma y escenario de tu existencia.

Todo depende de tu actitud hacia ti mismo; aquello que no afirmes como verdadero de ti mismo no puede ser despertado en tu mundo.

Tu concepto de ti mismo, tal como "Yo Soy fuerte", "Yo Soy seguro", "Yo Soy amado", determina el mundo en el que tú vives. En otras palabras, cuando tú dices "Yo Soy un hombre, Yo Soy padre, Yo Soy americano", no estás definiendo distintos Yo Soy; estás definiendo conceptos o arreglos de la única causa-sustancia – el único Yo Soy. Aun en el fenómeno de la naturaleza, si el árbol pudiera hablar diría "Yo soy un árbol, un árbol de manzanas, un árbol fructífero".

Cuando sabes que la conciencia es la única realidad, concibiéndose a sí misma como siendo algo bueno, malo o indiferente y convirtiéndose en aquello que concibe ser, tú eres libre de la tiranía de las causas secundarias, libre de la creencia que hay causas fuera de tu propia mente que pueden afectar tu vida.

En el estado de conciencia del individuo es donde se encuentra la explicación del fenómeno de la vida. Si el concepto sobre sí mismo fuera diferente, todo en su mundo sería diferente. Su concepto de sí mismo siendo lo que es, entonces, todo en su mundo debe ser como es. Por lo tanto, es muy claro que hay un solo Yo Soy y que tú eres ese Yo Soy.

Y aunque Yo Soy es infinito, tú, por tu concepto de ti mismo, estás exponiendo solo un aspecto limitado de tu infinito Yo Soy.

Construyan ustedes mansiones más estables,
Oh, mi alma,

Mientras las ligeras estaciones circulan,
Abandona tu pasado de techo bajo,
Permite que cada templo nuevo, más noble que el anterior,
Te cierre desde cielo con una
doma más grande
Hasta que tú finalmente seas libre,
Dejando así tu pequeña cáscara,
Ya trascendida por el incansable mar de la vida.

(Oliver Wendell Holmes - "The Chambered Nautilus")

CAPÍTULO 2

LA CONCIENCIA

Solamente a través del cambio de conciencia - por realmente cambiar el concepto de ti mismo - podrás "construir mansiones más majestuosas", las manifestaciones de más y más altos conceptos (y manifestar se refiere a experimentar los resultados de estos conceptos en tu mundo).

La razón yace en el hecho de que la conciencia es la única realidad, es la primera y única causa-sustancia del fenómeno de la vida. Nada tiene existencia para el individuo, salvo a través de la conciencia que él tiene sobre ello. Por lo tanto, es a la conciencia a la que debes acudir, porque es el único fundamento por el cual el fenómeno de la vida puede ser explicado.

Si aceptamos la idea de una primera causa, seguiría que la evolución de esa causa nunca podría resultar en otra cosa ajena de sí misma. Es decir, si la primera causa-sustancia es luz, todas sus evoluciones, frutos y manifestaciones permanecerían siendo luz.

La primera causa-sustancia siendo conciencia, todas sus evoluciones, frutos y fenómenos deben permanecer en la conciencia. Todo lo que puede ser observado sería una forma más alta o más baja, o una variación de la misma cosa. En otras palabras, tu conciencia es la única realidad, entonces, debe también ser la única sustancia.

Consecuentemente, lo que aparece ante ti como circunstancias, condiciones e incluso objetos materiales, realmente son solo el producto de tu propia conciencia.

La naturaleza, entonces, como una cosa o un complejo de cosas externas a tu mente, debe ser rechazada. Tú y tu entorno no pueden ser considerados como existentes por separado. Tú y tu mundo son uno.

Por lo tanto, debes volverte de la apariencia objetiva de las cosas hacia el centro subjetivo de las cosas, es decir, tu conciencia, si realmente quieres saber la causa del fenómeno de la vida y cómo usar este conocimiento para realizar tus sueños más preciados.

En medio de aparentes contradicciones, antagonismos y contrastes de tu vida, hay tan solo un principio funcionando, solo tu conciencia operando.

La diferencia no consiste en una variedad de sustancia, sino en una variedad de la manera en que está arreglada la misma causa-sustancia, tu conciencia.

El mundo se mueve con necesidad, sin motivo. Con esto me refiero a que no tiene un motivo por sí mismo, pero está bajo la necesidad de manifestar tu concepto, o sea la organización de tu mente, y tu mente está siempre organizada en la imagen de todo lo que tú crees y aceptas como verdadero.

El rico, el pobre, el mendigo o el ladrón no son diferentes mentes, sino diferentes arreglos de la misma mente, al igual que cuando se magnetiza un pedazo de metal, no difiere en la sustancia desde su estado desmagnetizado, sino en la organización y orden de sus moléculas. Un solo electrón girando en una órbita específica constituye la unidad del magnetismo. Cuando un pedazo de metal o cualquier otra cosa es desmagnetizada, el electrón que gira no se ha detenido. Por lo tanto, el magnetismo no ha dejado de existir. Hay solamente una reorganización de las partículas, que hace que no produzcan un efecto externo o perceptible. Cuando las partículas son organizadas al azar, mezcladas hacia todas las direcciones, se dice que la sustancia es desmagnetizada; pero cuando las partículas son alineadas en rangos para que un número de ellas apunten hacia una dirección, la sustancia es un magneto. El magnetismo no es generado, es exhibido.

Salud, riquezas, belleza y genio no son creados; son solo manifestados por la organización de tu mente, es decir, por tu concepto de ti mismo (y tu concepto de ti mismo es todo lo que aceptas y consientes como verdad. Lo que tú consientes, solo puede ser descubierto por una observación acrítica de tus reacciones de la vida. Tus reacciones revelan dónde vives psicológicamente, y donde vives psicológicamente, determina cómo tú vives aquí en el mundo externo visible.)

La importancia de esto en tu vida diaria debería ser inmediatamente aparente. La naturaleza básica de la causa principal es la Conciencia. Por lo tanto, la sustancia definitiva de todas las cosas, es la Conciencia.

CAPÍTULO 3

EL PODER DE LA ASUNCIÓN

El mayor delirio las personas es su convicción de que hay otras causas fuera de su propio estado de conciencia.

Todo lo que le sucede al individuo, todo lo que es hecho por él, todo lo que viene de él, sucede como resultado de su estado de conciencia.

La conciencia de la persona es todo lo que piensa y desea y ama, todo lo que cree y consiente como verdadero. Por esta razón, es necesario un cambio de conciencia antes de que puedas cambiar tu mundo externo.

La lluvia cae como resultado de un cambio de temperatura en las altas regiones de la atmosfera, de igual manera, un cambio de circunstancia sucede como resultado de un cambio en tu estado de conciencia.

"Sean transformados mediante la renovación de su mente." (Romanos 12:2)

Para ser transformados, debe cambiar la base entera de tus pensamientos. Pero tus pensamientos no pueden cambiar a menos que tengas nuevas ideas, ya que tú piensas desde tus ideas.

Toda transformación empieza con un intenso, ferviente deseo de ser transformado.

El primer paso en la "renovación de la mente" es el deseo. Tú debes querer ser diferente (y tener la intención de serlo) antes de que puedas cambiarte a ti mismo.

Luego debes hacer tu sueño futuro un hecho presente. Haces esto al asumir el sentimiento del deseo cumplido. Al desear ser otro del que eres, puedes crear un ideal de la persona que quieres ser y asumir que ya eres esa persona. Si persistes en esa asunción hasta que se convierta en tu sentimiento dominante, la obtención de tu ideal es inevitable.

El ideal que tú deseas alcanzar está siempre listo para ser encarnado, pero a menos que tú mismo le ofrezcas paternidad humana, es incapaz de nacer. Por lo tanto, tu actitud debería ser aquella en que habiendo deseado expresar un estado más alto, tú solo aceptas la tarea de encarnar este nuevo y más grande valor de ti mismo.

Al darle nacimiento a tu nuevo ideal, debes tener en cuenta que los métodos de conocimiento mental y espiritual son totalmente diferentes. Este es un punto que realmente es entendido, probablemente, por no más de una persona en un millón.

Tú conoces una cosa mentalmente mirándola desde lo externo, comparándola con otras cosas, analizándola y definiéndola (pensando en ella); mientras que tú conoces una cosa espiritualmente convirtiéndote en ella (solo pensando desde ella).

Tú debes ser la cosa en sí misma y no tan solo hablar de ella o mirarla. Tú debes ser como la polilla en busca de su ídolo - la llama - que se incentiva con el verdadero deseo, sumergiéndose sin pensarlo dentro del fuego sagrado, abrazándolo con sus alas, convirtiéndose en un solo color y una sola sustancia con la llama.

"Ella solo conocía la llama en la cual se quemó,
Y solo ella podría decir quien nunca volvería."
- "El Lenguaje de los Pájaros", por Farid ud-Din -Attar

Tal como la polilla, que en su deseo de conocer la llama estaba dispuesta a destruirse a sí misma, así también, para convertirte en la nueva persona, tú debes estar dispuesto a morir a tu ser actual.

Debes ser consciente de ser saludable si quieres saber lo que es la salud. Debes ser consciente de ser seguro si quieres saber lo que es la seguridad. Por lo tanto, para encarnar un nuevo y mayor valor de ti mismo, debes asumir que ya eres lo que deseas ser y vivir por la fe en esta asunción – la cual todavía no se ha encarnado en el cuerpo de tu vida- en confianza de que este nuevo valor, o estado de conciencia, se encarnará a través de tu absoluta fidelidad a la asunción de que ya eres aquello que deseas ser.

Esto es lo que significa totalidad, lo que significa integridad. Significan sumisión de todo el ser al sentimiento del deseo cumplido en la certeza de que ese nuevo estado de conciencia es la renovación de la mente, la cual transforma.

No hay orden en la naturaleza que corresponda a esta sumisión voluntaria del ser al ideal más allá del ser. Por eso, es la mayor necedad esperar que la encarnación de un nuevo y más alto concepto del ser, venga por medio del proceso evolutivo natural.

Aquello que requiere un estado de conciencia para producir sus resultados, obviamente, no puede ser efectuado sin tal estado de conciencia. En tu habilidad de asumir el sentimiento de una vida mejor, asumir un nuevo concepto de ti mismo, tú posees lo que el resto de la naturaleza no posee – imaginación – el instrumento por el cual creas tu mundo.

Tu imaginación es el instrumento, el medio, por el cual se efectúa tu redención de la esclavitud, de la enfermedad y la pobreza.

Si rehúsas asumir la responsabilidad de la encarnación de un nuevo y más alto concepto de ti mismo, entonces tú rechazas los medios, los únicos medios, por los cuales tu redención – que es la obtención de tu ideal - puede ser efectuada.

La Imaginación es el Único Poder Redentor en el Universo. Sin embargo, tu naturaleza es tal, que es opcional para ti elegir, ya sea permanecer en tu presente concepto de ti mismo (un ser hambriento en búsqueda de libertad, salud y seguridad) o elegir convertirte en el instrumento de tu propia redención, imaginándote a ti mismo como aquello que deseas ser y, por lo tanto, satisfaciendo tu hambre y redimiéndote a ti mismo.

Oh, entonces, sé fuerte y valiente,
Puro, paciente y verdadero;
El trabajo que es tuyo,
No dejes que otra mano lo haga.
Porque la fuerza de toda necesidad es
Fielmente dada,
Desde la Fuente dentro de ti -
El Reino de Los Cielos.

CAPÍTULO 4

DESEO

Los cambios que suceden en tu vida como resultado del concepto de ti mismo modificado, para el no-iluminado siempre aparentan ser, no el resultado de un cambio de conciencia, sino de suerte, de alguna causa externa o de coincidencia. Sin embargo, el único destino gobernando tu vida es el destino determinado por tus propios conceptos, tus propias asunciones, porque una asunción, aunque falsa, si se persiste en ella, se materializará en hecho.

El ideal que buscas y esperas obtener no se manifestará a sí mismo, no será realizado por ti, hasta que no imagines que ya eres ese ideal.

No hay escape para ti excepto por una transformación psicológica radical de ti mismo; excepto por tu asunción del sentimiento del deseo cumplido.

Por lo tanto, haz de los resultados o logros, la prueba crucial de tu habilidad de usar tu imaginación. Todo depende de tu actitud hacia ti mismo.

Aquello que no afirmes como verdadero de ti mismo, nunca podrá ser realizado por ti, porque esa sola actitud es la condición necesaria por la cual alcanzarás tu objetivo.

Toda transformación está basada en la sugestión y esto solo puede funcionar cuando te abres completamente a una influencia. Debes abandonarte a ti mismo a tu ideal, como una mujer se abandona a sí misma al amor, ya que el camino a la unión con tu ideal es el abandono completo del ser hacia tu ideal.

Debes asumir el sentimiento del deseo cumplido hasta que tu asunción tenga toda la vivacidad sensorial de la realidad. Debes imaginar que ya estás experimentando lo que deseas. Es decir, debes asumir el sentimiento del cumplimiento de tu deseo hasta que estés poseído por él y este sentimiento expulse de tu conciencia todas las otras ideas.

Aquel que no está preparado para sumergirse conscientemente en la asunción del deseo cumplido, en la fe que es la única manera de realizar su sueño, no está aún preparado para vivir conscientemente por la ley de la asunción, aunque no hay duda de que él vive en la ley de asunción inconscientemente.

Pero para ti, que aceptas este principio y estás listo para vivir conscientemente asumiendo que tu deseo ya se ha cumplido, la aventura de la vida comienza.

Para llegar a un nivel más elevado del ser, tú debes asumir un concepto más elevado de ti mismo. Si no te imaginas a ti mismo como otro del que ya eres, entonces permaneces como ya eres, porque "El que no cree que Yo soy él, morirá en sus pecados" (Juan 8:24).

Si tú no crees que eres él (la persona que quieres ser), entonces permaneces como ya eres.

A través de la fiel y sistemática cultivación del sentimiento del deseo cumplido, el deseo se convierte en la promesa de su propio cumplimiento.

La asunción del sentimiento del deseo cumplido hace del sueño futuro, un hecho presente.

CAPÍTULO 5

LA VERDAD QUE TE HACE LIBRE

El drama de la vida es uno psicológico, en el cual todas las condiciones, circunstancias y eventos de tu vida son atraídos por tus asunciones.

Ya que tu vida es determinada por tus asunciones, eres forzado a reconocer el hecho de que eres, ya sea un esclavo de tus asunciones o su amo.

Convertirte en el amo de tus asunciones es la clave para la libertad y felicidad jamás soñadas.

Puedes obtener este dominio por el control deliberado de tu imaginación. Tú determinas tus asunciones de esta manera:

Forma una imagen mental, una visión del estado deseado, de la persona que quieres ser. Concentra tu atención en el sentimiento de que ya eres esa persona. Primero, visualiza la imagen en tu conciencia. Luego siente que estás dentro de ese estado, como si realmente formara tu mundo alrededor. Por tu imaginación, aquello que era solo una imagen mental es transformada en una realidad visiblemente sólida.

El gran secreto es una imaginación controlada y una atención bien sostenida, firme y repetidamente enfocada en el objeto a cumplir. No puedo enfatizar lo suficiente que, al crear el ideal dentro de tu esfera mental, asumiendo que ya eres ese ideal, tú te identificas con él, por lo tanto, te transformas en esta imagen (pensando *desde* el ideal en vez de pensar *en* el ideal. Todo estado ya existe como "simples posibilidades" mientras pensemos *en* ellos, pero son poderosamente reales cuando pensamos *desde* ellos).

Esto era llamado por los antiguos maestros "Someterse a la Voluntad de Dios" o "Descansar en el Señor". La única verdadera prueba de "Descansar en el Señor" es que todos aquellos que descansan son inevitablemente transformados en la imagen de aquello en lo que descansan (pensando *desde* el deseo cumplido).

Tú te conviertes de acuerdo a tu resignada voluntad, y tu resignada voluntad es tu concepto de ti mismo y todo lo que consientes y aceptas como verdadero. Tú, asumiendo el sentimiento del deseo cumplido y continuando en él, tomas para ti mismo los resultados de ese estado; si no asumes el sentimiento del deseo cumplido, no obtendrás los resultados.

Cuando entiendas la función redentora de la imaginación, tendrás en tus manos la llave para la solución de todos tus problemas. Cada fase de tu vida está hecha por el ejercicio de tu imaginación. La Imaginación determinada es el único medio de tu progreso, del cumplimiento de tus sueños. Es principio y el fin de toda creación.

El gran secreto es una imaginación controlada y una atención sostenida firmemente y repetidamente enfocada en el sentimiento del deseo cumplido hasta que llene la mente y elimine todas las otras ideas de la conciencia.

¿Qué otro mayor regalo se te podría haber dado, que el decirte que: "La Verdad te hará libre?" (Juan 8:32)

La verdad que te hará libre es que tú puedes experimentar en la imaginación aquello que deseas experimentar en la realidad y manteniendo esta experiencia en la imaginación, tu deseo se convertirá en hecho.

Tú estás limitado nada más por tu incontrolable imaginación y falta de atención al sentimiento de tu deseo cumplido.

Cuando la imaginación no es controlada y la atención no es estable en el sentimiento del deseo cumplido, entonces ninguna cantidad de oraciones, ni devoción o invocación puede producir el efecto deseado.

Cuando puedas llamar a voluntad cualquier imagen que te plazca; cuando las formas de tu imaginación sean tan vívidas para ti, como las formas de la naturaleza, eres el amo de tu destino. (Debes dejar de gastar tus pensamientos, tu tiempo y tu dinero. Todo en la vida tiene que ser una inversión. *)

Visiones de belleza y esplendor,
Formas de una larga y perdida carrera,
Sonidos y caras y voces,
Desde la cuarta dimensión del espacio
Y a través del universo ilimitado,
Nuestros pensamientos van como relámpago
Algunos lo llaman imaginación,
Y otros lo llaman Dios.
- Dr. George W. Carey, "El Nuevo Nombre".

CAPÍTULO 6

ATENCIÓN

"El hombre de doble ánimo es inconstante en todos sus caminos". (Santiago 1:8)

La atención es poderosa en proporción a la estrechez de su enfoque, es decir, cuando está dominada con una simple idea o sentimiento. Está estabilizada y poderosamente enfocada por un ajuste tal de la mente, que solo te permite ver una sola cosa, ya que tú enfocas tu atención y aumentas su poder al limitarla. El deseo que se realiza a sí mismo siempre es un deseo en el cual la atención está exclusivamente concentrada, ya que una idea es dotada con poder solo en proporción al grado de atención fijada en ella.

La observación concentrada es la actitud atenta dirigida desde algún fin específico. La actitud atenta involucra selección, ya que cuando prestas atención, significa que has decidido enfocar tu atención en un objeto o estado en vez de en otro.

Por lo tanto, cuando sabes lo que quieres, debes deliberadamente enfocar tu atención en el sentimiento de tu deseo cumplido hasta que ese sentimiento llene tu mente y elimine todas las otras ideas fuera de tu conciencia. El poder de la atención es la medida de tu fuerza interna. La observación concentrada de una cosa expulsa todas las otras cosas y hace que desaparezcan.

El gran secreto del éxito es enfocar la atención en el sentimiento del deseo cumplido sin permitir ninguna distracción. Todo progreso depende del incremento de la atención. Las ideas que te impulsan a la acción son aquellas que dominan tu conciencia, aquellas que poseen tu atención. (La idea que excluye todas las otras del campo de tu atención disparan en acción).

"Esta sola cosa hago, olvidando aquellas cosas que quedaron atrás, yo marcho hacia la meta". (Filipenses 3:13-14)

Esto se refiere a ti, esta única cosa puedes hacer, "olvidando aquellas cosas que quedaron atrás". Tú puedes marchar hacia la meta de llenar tu mente con el sentimiento del deseo cumplido.

Para el ser no-iluminado, esto parecerá ser toda una fantasía, aun así, todo progreso viene de aquellos que no toman el punto de vista aceptado, ni aceptan el mundo como es. Como fue establecido anteriormente, si puedes imaginar lo que quieras y si las formas de tus pensamientos son tan vívidas como las formas de la naturaleza, por virtud del poder de tu imaginación, tú eres amo de tu destino.

Tú mismo eres tu imaginación y el mundo como tu imaginación lo ve, es el mundo real.

Cuando te comprometas a dominar los movimientos de tu atención, lo que debe hacerse a fin de poder alterar con éxito el curso de los eventos observados, en ese momento, te darás cuenta qué pequeño control has ejercido sobre tu imaginación y cuánto es dominada por las impresiones sensoriales y llevada por la marea de inútiles estados de ánimo.

Para ayudar a dominar el control de tu atención, practica este ejercicio:

Noche tras noche, antes de que caigas en el sueño, esfuérzate por sostener tu atención en las actividades del día en orden reverso. Enfoca tu atención en la última cosa que hiciste, eso sería recostarse en la cama, luego retrocede hacia atrás en el tiempo viendo todos los acontecimientos hasta que llegues al primer evento del día, salir de la cama. Este no es un ejercicio fácil, pero de la misma forma que ciertos ejercicios ayudan a desarrollar ciertos músculos, esto será una gran ayuda para desarrollar el "músculo" de tu atención.

Tu atención debe ser desarrollada, controlada y concentrada para que puedas cambiar exitosamente el concepto de ti mismo, y así, cambiar tu futuro.

La imaginación es capaz de hacer todo, pero solo acorde a la dirección interna de tu atención.

Si persistes noche tras noche, tarde o temprano despertarás en ti un centro de poder y te harás consciente de tu Gran Ser, el verdadero tú.

La atención se desarrolla por ejercicio repetido o hábito. A través del hábito, una acción se vuelve más fácil y así, en el transcurso del tiempo, da lugar a una habilidad o facultad que luego podrá utilizarse para usos importantes.

Cuando obtienes control de la dirección interna de tu atención, ya no estarás parado en aguas poco profundas, sino que te lanzarás a la profundidad de la vida.

Tú caminarás en la asunción del deseo cumplido en un cimiento incluso más sólido que la tierra.

CAPÍTULO 7

ACTITUD

Experimentos recientes conducidos por Merle Lawrence (de la Universidad Princeton) y Adelbert Ames (de la Universidad Darmouth) en el laboratorio de psicología en Hanover, N.H., probaron que lo que ves cuando observas algo, no depende tanto en lo que hay allí, sino en la asunción que haces cuando observas.

Dado que, lo que creemos que es el mundo físico "real" es solo un "supuesto" mundo, no sorprende que estos experimentos prueben que lo que parece ser una sólida realidad, en verdad, es el resultado de "expectativas" o "asunciones".

Tus asunciones determinan no solo lo que ves, sino también lo que haces, porque ellas gobiernan todos tus movimientos conscientes e inconscientes dirigidos hacia el cumplimiento de sí mismas.

Hace más de un siglo, esta verdad fue declarada por Emerson de esta manera:

"Como el mundo era plástico y fluido en las manos de Dios, así también son sus muchos de sus atributos cuando los traemos. Para la ignorancia y el pecado, esto es inflexible. Éstos se adaptan a ellos como pueden, pero en proporción a la divinidad que haya en el hombre, el firmamento fluirá delante de él y tomará su sello y forma".

Tu asunción es la mano de Dios moldeando el firmamento a la imagen de lo que tú asumes. La asunción del deseo cumplido es la marea alta que te levanta fácilmente de la barra de los sentidos donde habías estado estancado tanto tiempo.

Levanta la mente en profecía, en el completo sentido de la palabra; y si tienes esa imaginación controlada y esa atención absorbente, que es posible obtener, puedes estar seguro que todo lo que implica tu asunción, sucederá.

Cuando William Blake escribió, "Lo que parece ser es para aquellos a los que les parece ser" él tan solo repetía la verdad eterna.

"No hay nada inmundo en sí mismo; pero para el que piensa que algo es inmundo, para él, lo es". (Romanos 14:14)

Porque no hay nada inmundo en sí mismo (o puro en sí mismo), tú deberías asumir lo mejor y "Pensar solo en aquello que es amable y en todo lo que es de buen nombre." (Filipenses 4:8).

No es conocimiento superior, sino ignorancia sobre esta ley de la asunción si, en la grandeza de las personas, ves alguna pequeñez con la cual puedes estar familiarizado, o una condición desfavorable en una situación o circunstancia. Tu relación particular hacia otro influye tu asunción con respecto a ese otro y te hace ver en él aquello que tú ves. Si puedes cambiar tu opinión del otro, entonces lo que ahora crees sobre él no puede ser absolutamente cierto, sino solamente una verdad relativa. La siguiente es una historia real ilustrando cómo funciona la ley de la asunción:

Un día, una diseñadora de ropa me describía sus dificultades para trabajar con un prominente productor de teatro. Ella estaba convencida que él la criticaba injustamente y le rechazaba su mejor trabajo, y que continuamente era agresivo e injusto con ella.

Después de escuchar su historia, yo le expliqué que si ella encontraba al otro agresivo e injusto, era una señal segura de que era ella misma quien lo quería así, y que no era el productor sino ella quien necesitaba una nueva actitud.

Le dije que el poder de esta ley de asunción y su aplicación práctica solo podía ser descubierta a través de la experiencia y que solo asumiendo que la situación ya era como ella quería que fuera podría probar que ella podía traer el cambio deseado.

Su empleador estaba simplemente dando testimonio, diciéndole a ella a través de su conducta, cuál era el concepto que ella tenía de él.

Le sugerí que era probable que ella estuviera manteniendo conversaciones con él en su mente que estaban llenas de críticas y recriminaciones.

No había duda de que ella estaba discutiendo mentalmente con el productor, ya que los otros solo hacen eco de lo que les susurramos en secreto.

Le pregunté si no era cierto que ella conversaba con él mentalmente, y si era así, cómo eran esas conversaciones.

Ella me confesó que cada mañana, en su camino al teatro, ella le decía todo lo que pensaba de él de una manera que jamás se hubiese atrevido a decírselo en persona. La intensidad y fuerza de sus discusiones mentales con él automáticamente establecieron su comportamiento hacia ella.

Ella comenzó a darse cuenta que todos mantenemos conversaciones mentales pero, lamentablemente, en la mayoría de las ocasiones estas conversaciones son discusiones... que tan solo debemos observar a los transeúntes en la calle para probar esta aserción... que mucha gente está mentalmente absorta en conversaciones y muy pocos parecen estar felices con ellas, pero la misma intensidad de sus sentimientos los lleva rápidamente a la situación desagradable que ellos mismos han creado mentalmente y, por lo tanto, ahora deben enfrentar.

Cuando ella se dio cuenta de lo que había estado haciendo, aceptó cambiar su actitud y vivir esta ley fielmente, asumiendo que su trabajo era altamente satisfactorio y que su relación con el productor era una muy agradable. Para hacer esto, ella tuvo que aceptar que, antes de irse a dormir por la noche, en su camino al trabajo y en otros intervalos durante el día, tendría que imaginar que él la felicitaba por sus fantásticos diseños y que ella, en respuesta, le agradecía sus halagos y amabilidad.

Para su gran sorpresa, pronto descubrió que su propia actitud era la causa de todo lo que le sucedía.

El comportamiento de su empleador milagrosamente se revirtió. Su actitud, como siempre, haciendo eco de aquello que ella asumía, ahora reflejaba su concepto cambiado sobre él.

Lo que ella hizo fue por el poder de su imaginación. Su persistente asunción influenció su comportamiento y determinó su actitud hacia ella.

Con el pasaporte del deseo en las alas de una imaginación controlada, ella viajó hacia el futuro de su propia experiencia predeterminada. Por lo tanto, vemos que no son los hechos, sino aquello que creamos en la imaginación, lo que da forma a nuestras vidas, ya que la mayoría de los conflictos del día se deben a la falta de un poco de imaginación para sacar la viga de nuestro propio ojo.

Es el de mente exacta y literal quien vive en un mundo ficticio.

Así como a esta diseñadora, que por su imaginación controlada comenzó un sutil cambio en la mente de su empleador, así nosotros, por el control de nuestra propia imaginación y sentimiento dirigido sabiamente, podemos resolver nuestros problemas.

Por la intensidad de su imaginación y sentimiento, la diseñadora sacó una especie de hechizo de la mente del productor y lo hizo pensar que sus generosos halagos se originaban de él.

A menudo, nuestros pensamientos más elaborados y originales son determinados por otros.

"Nunca estaremos seguros de que no fue alguna mujer pisando en el lagar, quien comenzó el sutil cambio en la mente de los hombres, o que la pasión no comenzó en la mente de algún niño pastor, iluminando sus ojos por un momento antes de correr en su camino".
- William Butler Yeats.

CAPÍTULO 8

RENUNCIACIÓN

No existe un tipo de carbón tan muerto que no pueda brillar y quemar si tan solo se le da vuelta.

"No resistas al que es malo. Antes, a cualquiera que te abofetee en la mejilla derecha, vuélvele también la otra" (Mateo 5:39).

Hay una gran diferencia entre resistir la maldad y renunciar a ella. Cuando resistes a la maldad, le das tu atención; continúas haciéndola real. Cuando renuncias a la maldad, sacas la atención y se la das a lo que quieres. Ahora es el momento de controlar tu imaginación y...

"Dar belleza en lugar de cenizas, gozo en lugar de luto, alabanza en lugar de espíritu abatido, para que sean llamados árbol de justicia, plantío del Señor para que él sea glorificado" (Ver Isaías 61:3)

Tú das belleza en lugar de cenizas cuando concentras tu atención en las cosas como te gustarían que fueran en vez de como son. Tú das gozo en lugar de luto cuando mantienes una actitud alegre a pesar de las circunstancias desfavorables. Tú das alabanza en lugar de espíritu abatido cuando mantienes una actitud confiada en vez de sucumbir al desánimo.

En esta frase, la Biblia utiliza la palabra árbol como sinónimo de ser humano. Tú te conviertes en un árbol de justicia cuando los estados mentales mencionados son una parte permanente de tu conciencia. Eres una plantación del Señor cuando todos tus pensamientos son verdaderos pensamientos.

Él es "Yo Soy" como fue descrito en el Capítulo Uno. "Yo Soy" es glorificado cuando tu concepto más alto de ti mismo es manifestado.

Cuando hayas descubierto que tu propia imaginación controlada es tu salvadora, tu actitud será completamente alterada sin ninguna disminución del sentimiento religioso y dirás de tu propia imaginación controlada:

"Mira esta Vid. Lo encontré un árbol silvestre, cuya fuerza desenfrenada había crecido en ramas irregulares. Pero he podado la planta y creció moderadamente en su vano gasto de hojas inútiles, y se enredó como ves en estos racimos limpios y completos para compensar a la mano que sabiamente la hirió".
- Robert Southey - "Thalaba El Destructor"

Esta vid significa tu imaginación que, en su estado incontrolado, gasta su energía en pensamientos y sentimientos inútiles o destructivos. Pero, tal como la vid es podada cortándole las ramas y raíces inútiles, tú podas tu imaginación al sacar tu atención de todas las ideas desagradables y destructivas y concentrándote en el ideal de tu deseo.

La vida más noble y feliz que experimentarás será resultado de haber podado sabiamente tu propia imaginación. Sí, sé podado de todos los pensamientos y sentimientos desagradables.

"Piensa en verdad y tus pensamientos alimentarán el hambre del mundo; habla en verdad y cada palabra tuya será una semilla fructífera; vive en verdad y tu vida será un gran y noble credo.
- Horacio Bonar, "Himnos de Fe y Esperanza".

CAPÍTULO 9

PREPARA TU LUGAR

"Todo lo mío es tuyo, y todo lo tuyo es mío". (Juan 17:10)

"Mete tu hoz y siega, porque la hora de segar ha llegado, pues la mies de la tierra está madura". (Apocalipsis 14:15)

Todo es tuyo. No salgas a buscar aquello que eres. Aprópialo, afírmalo, asúmelo. Todo depende de tu concepto de ti mismo. Aquello que no afirmas como verdadero de ti mismo no puede ser realizado por ti. La promesa es:

"A todo el que tiene, más se le dará, y tendrá en abundancia; pero al que no tiene, aun lo que tiene se le quitará". (Mateo 25:29; Lucas 8:18)

Sostiene firmemente en tu imaginación todo aquello que sea amable y de buen nombre, porque lo amable y lo bueno son esenciales en tu vida, si ha de ser valiosa.

Asúmelo. Haces esto al imaginar que ya eres lo que deseas ser y que ya tienes lo que deseas tener. "Como el hombre piensa en su corazón, así es él". (Proverbios 23:7)

Quédate quieto y reconoce que ya eres aquello que deseas ser y nunca tendrás que buscarlo.

A pesar de tu apariencia de libertad de acción, tú obedeces - como todo lo demás lo hace - a la ley de la asunción.

Lo que sea que pienses sobre el libre albedrío, la verdad es que tus experiencias a lo largo de tu vida son determinadas por tus asunciones, ya sean conscientes o inconscientes.

Una asunción construye un puente de incidentes que llevan inevitablemente al cumplimiento de sí misma. Las personas creen que el futuro es el desarrollo natural del pasado. Pero la ley de la asunción demuestra claramente que este no es el caso. Tu asunción te pone psicológicamente donde no estás físicamente, luego tus sentidos te vuelven a traer desde donde estabas psicológicamente hacia donde estás físicamente. Son estos movimientos psicológicos hacia adelante los que producen tus movimientos físicos hacia adelante en el tiempo. La precognición penetra todas las escrituras del mundo.

"En la casa de mi Padre hay muchas moradas; si no fuera así, yo les hubiera dicho; porque voy a preparar un lugar para ustedes. Y si me voy y preparo un lugar para ustedes, vendré otra vez y yo los tomaré conmigo; para que donde yo estoy, allí estén también ustedes... Y yo les he dicho ahora, antes que suceda, para que cuando suceda, crean". (Juan 14: 2-3; 29)

El "Yo" en estos versículos es tu imaginación que va al futuro, a una de las muchas moradas.

La Morada es el estado deseado... contar un evento antes de que suceda físicamente es simplemente sentirte a ti mismo en el estado deseado hasta que tome el tono de la realidad.

Tú vas y preparas un lugar para ti mismo, al imaginarte en el sentimiento del deseo cumplido. Luego, tú te mueves desde este estado del deseo cumplido – donde no has estado físicamente – de regreso hacia dónde estabas físicamente hace un momento atrás. Luego, con un irresistible movimiento hacia adelante, avanzas a través de una serie de eventos hasta la realización física de tu deseo, porque donde hayas estado en tu imaginación, allí estarás también en la carne.

"Al lugar donde los ríos fluyen, allí vuelven a fluir". (Eclesiastés 1:7)

CAPÍTULO 10

CREACIÓN

"Yo soy Dios y no hay ningún otro. Yo anuncio el fin desde el principio y desde la antigüedad lo que no ha sido hecho". (Isaías 46: 9-10)

La Creación está terminada. La creatividad es solo una profunda receptividad, ya que todos los contenidos de todos los tiempos y todo el espacio, aunque son experimentados en una secuencia de tiempo, en realidad, coexisten en el infinito y eterno ahora. En otras palabras, todo lo que has sido o serás, de hecho, todo lo que la humanidad fue o será, existe ahora.

Esto es a lo que se refiere con "creación" y la declaración de que la creación está terminada significa que no hay nada para crear, solo para ser manifestado.

Lo que se llama creatividad es tan solo tomar conciencia de lo que ya existe. Tú simplemente te haces consciente de porciones cada vez mayores de lo que ya existe.

El hecho de que nunca podrías ser algo que ya no seas o experimentar algo que no existe, explica la experiencia de tener un agudo sentimiento de haber escuchado antes lo que se está diciendo, o de haber conocido antes a la persona que conoces por primera vez, o haber visto anteriormente un lugar o una cosa que estás viendo por primera vez.

Toda la Creación existe en ti y es tu destino hacerte cada vez más consciente de sus infinitas maravillas y experimentar cada vez más y más grandes porciones de ella.

Si la creación está terminada y todos los eventos están sucediendo ahora, la pregunta que surge naturalmente en la mente es, ¿qué determina tu ciclo de tiempo? Es decir, ¿qué determina los eventos que encuentras? Y la respuesta es tu concepto de ti mismo.

Los conceptos son los que determinan la ruta que sigue tu atención. Esta es una buena prueba para verificar este hecho. Asume el sentimiento de tu deseo cumplido y observa la ruta que sigue tu atención. Tú observarás que mientras permaneces fiel a tu asunción, tu atención se verá confrontada con imágenes claramente relacionadas con esa asunción. Por ejemplo: si asumes que tienes un maravilloso negocio, notarás cómo en tu imaginación tu atención se enfoca en incidente tras incidente relacionado con esa asunción. Los amigos te felicitan, te dicen lo afortunado que eres. Otros están envidiosos y te critican. Desde allí, tu atención va a oficinas más grandes, cuentas bancarias más grandes y otros eventos similares relacionados.

La persistencia en esa asunción resultará en experimentar realmente en hecho aquello que asumiste. Lo mismo es verdad respecto a cualquier concepto.

Si tu concepto de ti mismo es que eres un fracaso, encontrarás en tu imaginación toda una serie de incidentes en conformidad con ese concepto. Entonces, es claramente visto que tú, en tu concepto de ti mismo, determinas tu presente, es decir, esa porción particular de la creación que ahora experimentas, y así también tu futuro, es decir, esa porción particular de la creación que experimentarás.

CAPÍTULO 11

INTERFERENCIA

Tú eres libre de elegir el concepto que aceptarás de ti mismo. Por lo tanto, tú posees el poder de intervención, el poder que te permite alterar el curso de tu futuro. El proceso de elevarte de tu presente concepto a un concepto más alto de ti mismo, es el significado de todo verdadero progreso. El concepto más alto está esperando por ti para que lo encarnes en el mundo de la experiencia.

"Y a aquel que es poderoso para hacer todas las cosas mucho más abundantemente de lo que pedimos o entendemos, según el poder que obra en nosotros, a él sea la gloria" (Efesios 3:20)

Él - quien es capaz de hacer mucho más de lo que tú puedas pedir o pensar - es tu imaginación, y el poder que trabaja en nosotros, es tu atención. Entendiendo que la imaginación es él, que es capaz de hacer todo lo que pidas, y la atención es el poder por el cual tú creas tu mundo, ahora puedes construir tu mundo ideal.

Imagínate a ti mismo siendo el ideal que sueñas y deseas. Permanece atento a este estado imaginado y tan pronto como sientas completamente que ya eres este ideal se manifestará a sí mismo como realidad en tu mundo.

"Él estaba en el mundo, y el mundo fue hecho por él, y el mundo no lo conocía" (Juan 1:10)

"El misterio que había estado oculto desde los siglos… Cristo en ustedes, la esperanza de gloria". (Colosenses 1:26-27)

Este "Él" en la primera cita, es tu imaginación. Como lo expliqué anteriormente, hay solo una sustancia y esta sustancia es tu conciencia. Es tu imaginación la que forma esta sustancia en conceptos, los cuales luego se manifiestan como condiciones, circunstancias y objetos físicos. Por lo tanto, la imaginación creó tu mundo.

Las personas, con algunas excepciones, no son conscientes de esta verdad suprema.

El misterio, Cristo en ti, referido en la segunda cita, es tu imaginación, por la cual tu mundo es moldeado. La esperanza de gloria es estar consciente de la habilidad de elevarte perpetuamente hacia niveles más altos.

Cristo no se encuentra en la historia, ni en formas externas. Tú encuentras a Cristo solo cuando te haces consciente del hecho de que tu imaginación es el único poder redentor. Cuando esto es descubierto, las "torres de dogma habrán oído las trompetas de la Verdad y como las paredes de Jericó, se derrumbarán a polvo".

CAPÍTULO 12

CONTROL SUBJETIVO

Tu imaginación es capaz de hacer todo lo que le pidas en proporción al grado de tu atención. Todo progreso y cumplimiento del deseo, depende del control y concentración de tu atención.

La atención puede ser atraída desde afuera o dirigida desde adentro.

La atención es atraída desde afuera cuando estás conscientemente ocupado con las impresiones externas del presente inmediato. Las líneas de esta página están atrayendo tu atención desde afuera.

Tu atención es dirigida desde adentro cuando tú deliberadamente eliges en qué estarás ocupado mentalmente.

Es obvio que, en el mundo objetivo, tu atención no solo es atraída, sino también constantemente dirigida a impresiones externas. Pero tu control en el estado subjetivo es casi inexistente, ya que, en este estado, la atención es usualmente la servidora y no el amo – la pasajera y no el piloto - de tu mundo.

Hay una gran diferencia entre atención dirigida objetivamente y la atención dirigida subjetivamente, y la capacidad de cambiar tu futuro depende de ésta última.

Cuando eres capaz de controlar los movimientos de tu atención en el mundo subjetivo, tú puedes modificar o alterar tu vida como te plazca. Pero este control no puede ser alcanzado si permites que tu atención esté constantemente atraída a lo externo.

Cada día, deliberadamente, haz la tarea de retraer tu atención del mundo objetivo y enfócala subjetivamente. En otras palabras, concéntrate en esos pensamientos o estados de ánimos que tú deliberadamente determinas. Entonces, aquellas cosas que ahora te restringen, desaparecerán y caerán.

El día que obtengas el control de los movimientos de tu atención en el mundo subjetivo, serás el amo de tu destino.

Ya no aceptarás el dominio de las condiciones o circunstancias externas. Ya no aceptarás la vida en las bases del mundo externo.

Habiendo obtenido el control de los movimientos de tu atención y habiendo descubierto el misterio escondido de los siglos, que Cristo en ti es tu imaginación, reafirmarás la supremacía de la imaginación y todo lo pondrás bajo su sometimiento.

CAPÍTULO 13

ACEPTACIÓN

"Las percepciones del hombre no están limitadas por los órganos de la percepción: él percibe más que los sentidos - aunque nunca tan sutilmente - puede descubrir".
- William Blake.

Aunque parezca que vives en un mundo material, en realidad vives en un mundo de imaginación. Lo externo, los eventos físicos de la vida, son el fruto de momentos olvidados que han florecido, resultado de previos estados de conciencia, usualmente olvidados. Son los finales corriendo fieles a los usualmente olvidados origines imaginativos.

Cuando te vuelves completamente absorto en un estado emocional, en ese momento, estás asumiendo el sentimiento del estado cumplido. Si persistes en ello, lo que sea que estés intensamente emocionado, lo experimentarás en tu mundo.

Estos períodos de absorción, de la atención concentrada, son los comienzos de las cosas que cosechas. Son en estos momentos en que tú ejercitas tu poder creativo, el único poder creativo que existe. Al final de estos períodos, o momentos de absorción, te alejas de estos estados imaginativos (donde no has estado físicamente) hacia donde estabas físicamente un momento atrás. En estos períodos, el estado imaginado es tan real que, cuando regresas al mundo objetivo y encuentras que no es el mismo que el estado imaginado, realmente es un golpe. En la imaginación has visto algo tan vívido, que te preguntas si ahora puedes creer en la evidencia de tus sentidos y como Keats, preguntarás: "¿Fue una visión o un sueño de vigilia? Esa música ha huido… ¿estoy despierto o dormido?"

Este golpe invierte tu sentido del tiempo. Con esto quiero decir que, en vez de que tu experiencia resulte de tu pasado, ahora se convierte en el resultado de estar en la imaginación donde no has estado físicamente. En efecto, esto te mueve a través de un puente de incidentes hacia la manifestación física de tu estado imaginado.

Todo aquel que, a voluntad puede asumir cualquier estado que desee, ha encontrado las llaves del Reino de los Cielos. Las llaves son el deseo, la imaginación y una atención firme enfocada en el sentimiento del deseo cumplido. Para tal persona, todo hecho objetivo indeseable ya no es más una realidad, y el ardiente deseo ya no es más un sueño.

"Pruébame ahora en esto, dice Jehová de los ejércitos, y vean si no abro las ventanas del cielo y derramo sobre ustedes bendición hasta que sobreabunde". (Malaquías 3:10)

Las ventanas del cielo no pueden ser abiertas y los tesoros tomados por una fuerte voluntad, sino que se abrirán así mismas y se obtendrán los tesoros como un regalo gratuito; un regalo que viene cuando la absorción alcanza tal grado que resulta en un sentimiento de completa aceptación.

El pasaje desde tu estado presente al sentimiento de tu deseo cumplido, no está a través de un espacio. Existe continuidad entre lo llamado real e irreal. Para cruzar de un estado a otro, tú simplemente extiendes tus sensores, confías en tu tacto y entras completamente en el espíritu de lo que estás haciendo.

"No por el poder ni por la fuerza, sino por mi Espíritu, dice el Señor de los ejércitos". (Zacarías 4:6)

Asume el espíritu, el sentimiento del deseo cumplido y habrás abierto las ventanas para recibir la bendición. Asumir un estado es estar en el espíritu de él.

Tus triunfos serán una sorpresa solo para aquellos que no sabían de tu pasaje secreto de un estado de deseo a la asunción del deseo cumplido.

El Señor de los ejércitos no responderá a tu deseo hasta que hayas asumido el sentimiento de ya ser aquello que quieres ser, ya que la aceptación es el canal de su acción. La Aceptación es el Señor de los ejércitos en acción.

CAPÍTULO 14

LA MANERA FÁCIL

El Principio de "Menor Acción" gobierna todo en la física, desde la trayectoria de un planeta a la trayectoria del pulso de la luz. Menor acción es la mínima energía, multiplicada por el mínimo de tiempo. Por lo tanto, para moverte de tu estado presente al estado deseado, debes utilizar el mínimo de energía y tomar el menor tiempo posible.

Tu viaje de un estado de conciencia a otro, es un viaje psicológico, por lo tanto, para hacer el viaje debes utilizar el equivalente psicológico de "Menor Acción" y el equivalente psicológico es la simple asunción.

El día que te des cuenta completamente del poder de tu asunción, descubrirás que funciona en completa conformidad con este principio. Funciona por medio de la atención, menos esfuerzo. Por lo tanto, con el mínimo de acción, a través de la asunción, te apuras sin precipitarte y alcanzas tu objetivo sin esfuerzo.

Porque la creación ya está terminada, lo que deseas ya existe. Está excluido de la vista porque tú puedes ver solo los contenidos de tu propia conciencia.

Es la función de una asunción llamar de regreso a la vista excluida y restaurar la visión completa. No es el mundo, sino tu asunción lo que cambia.

La asunción trae lo invisible a la vista. No es nada más ni nada menos que ver con el ojo de Dios, eso es, la imaginación.

"Pues Dios no ve como el hombre ve, pues el hombre mira la apariencia exterior, pero el Señor mira el corazón" (1 Samuel 16:7)

El corazón es el principal órgano del sentido, por lo tanto, la primera causa de la experiencia. Cuando miras "en el corazón", estás mirando tus asunciones: las asunciones determinan tu experiencia.

Observa tus asunciones con total diligencia, ya que de ellas salen los asuntos de la vida. Las asunciones tienen el poder de realización objetiva. Cada evento en el mundo visible es el resultado de una asunción o idea en el mundo invisible.

El momento presente es muy importante, ya que es solo en el momento presente que nuestras asunciones pueden ser controladas. Si quieres operar sabiamente la ley de la asunción, en tu mente, el futuro debe convertirse en el presente.

El futuro se convierte en el presente cuando te imaginas que ya eres aquello que serás cuando tu asunción se cumpla.

Quédate quieto (menor acción) y sabrás que ya eres aquello que deseas ser. El final del deseo es ya Ser.

Traduce tu sueño en Ser. La construcción perpetua de estados futuros sin la conciencia de ya serlo, eso es, imaginar tu deseo sin realmente asumir el sentimiento del deseo cumplido, es la falacia y el espejismo de la humanidad. Eso es simplemente inútil ensueño.

CAPÍTULO 15

LA CORONA DE LOS MISTERIOS

La asunción del deseo cumplido es el barco que te lleva a través de los mares desconocidos hacia el cumplimiento de tu sueño. La asunción es todo; la realización es inconsciente y sin esfuerzo.

"Asume una virtud si no la tienes".

- Hamlet - William Shakespeare.

Actúa en la asunción de que ya posees aquello que buscas.

"Bienaventurada la que creyó, porque se cumplirá lo que le fue dicho de parte del Señor" (Lucas 1:45)

Como la Inmaculada Concepción es el fundamento del misterio cristiano, así, la asunción es su corona. Psicológicamente, la Inmaculada Concepción significa el nacimiento de una idea en tu conciencia, sin ayuda de otro. Por ejemplo, cuando tienes un deseo específico, o una necesidad, o un anhelo, es una inmaculada concepción en el sentido de que no fue una persona física o una cosa que la plantó en tu mente. Fue autoconcebida. Cada persona es María de la Inmaculada Concepción y debe darle nacimiento a su idea.

La asunción es la corona de los misterios porque es el uso más elevado de la conciencia. Cuando en la imaginación asumes el sentimiento del deseo cumplido, tú eres mentalmente elevado a un nivel más alto.

Cuando, a través de tu persistencia, esta asunción se convierte en hecho, tú te encuentras automáticamente en un nivel más alto (es decir, tú has obtenido tu deseo) en tu mundo objetivo.

Tu asunción guía tan inevitablemente todos tus movimientos conscientes e inconscientes hacia el final sugerido, que realmente dicta los acontecimientos.

El drama de la vida es psicológico y todo está escrito y producido por tus asunciones.

Aprende el arte de la asunción, ya que solo de esta manera puedes crear tu propia felicidad.

CAPÍTULO 16

IMPOSIBILIDAD PERSONAL

Rendirse es esencial, y esto significa la confesión de imposibilidad personal.

"Yo no puedo hacer nada por mí mismo". (Juan 5:30)

Ya que la creación ha sido terminada, es imposible forzar a que algo sea. El ejemplo del magnetismo dado previamente es una buena ilustración. Tú no puedes crear magnetismo, solo puede ser exhibido. Tú no puedes crear la ley del magnetismo. Si quieres construir un imán, solo podrás hacerlo de acuerdo a la ley del magnetismo. En otras palabras, te rindes o cedes a la ley.

De la misma manera, cuando utilizas la facultad de la asunción, te estás amoldando a una ley tan real como la ley que gobierna el magnetismo. Tú no puedes crear ni cambiar la ley de la asunción.

Es en este aspecto que tú eres impotente. Tú solo puedes ceder o amoldarte y dado a que todas tus experiencias son el resultado de tus asunciones (conscientes o inconscientes) el valor de utilizar conscientemente el poder de la asunción seguramente debe ser muy obvio.

Identifícate voluntariamente con aquello que más deseas, sabiendo que encontrará expresión en ti. Cede al sentimiento del deseo cumplido y sé consumido como su víctima, luego elévate como el profeta de la ley de asunción.

CAPÍTULO 17

TODAS LAS COSAS SON POSIBLES

Es muy importante saber que la verdad de los principios entregados en este libro, ha sido comprobada una y otra vez por las experiencias personales del autor. Durante los últimos veinticinco años, él ha aplicado estos principios y los ha comprobado exitosamente en innumerables instancias. Cada éxito que él ha alcanzado, lo atribuye a una inquebrantable asunción de que su deseo ya se ha cumplido.

Él confiaba que sus deseos estaban predestinados a ser manifestados por estas asunciones fijas. Una y otra vez, él asumió el sentimiento del deseo cumplido y continuó en su asunción hasta que aquello que él deseaba fue manifestado completamente.

Vive tu vida en un espíritu sublime de confianza y determinación, ignora las apariencias y condiciones, de hecho, toda evidencia de tus sentidos que nieguen el cumplimiento de tu deseo. Descansa en la asunción de que ya eres lo que quieres ser, puesto que, en esa determinada asunción tú y tu Ser Infinito son fusionados en unidad creativa, y con tu Ser Infinito (Dios) todas las cosas son posibles. Dios nunca falla.

"No hay quien detenga su mano y le diga: ¿Qué haces?" (Daniel 4:35)

A través del dominio de tus asunciones, eres verdaderamente capaz de dominar tu vida. Es así como se asciende en la escalera de la vida, es así como el ideal se realiza.

La clave para el verdadero propósito de la vida es rendirte a tu ideal con tal conciencia de su realidad que comienzas a vivir la vida del ideal y ya no vives tu propia vida como era antes de que te rindieras. "Él llama a las cosas que no se ven, como si existieran" (Romanos 4:17) y las cosas que no se veían son vistas.

Cada asunción tiene su correspondiente mundo. Si eres verdaderamente observador, notarás el poder de tus asunciones cambiando circunstancias que aparentan ser totalmente inmutables. Por tus asunciones conscientes, tú determinas la naturaleza del mundo en el que vives.

Ignora el estado presente y asume el deseo cumplido. Reclámalo, él responderá. La ley de la asunción es el medio por el cual el cumplimiento de tus deseos puede ser realizado.

En cada momento de tu vida, consciente o inconscientemente, estás asumiendo un sentimiento. Tú no puedes evitar asumir un sentimiento, así como no puedes evitar comer o beber. Todo lo que puedes hacer es controlar la naturaleza de tus asunciones.

Por lo tanto, está claro que el control de tus asunciones es la llave que ahora sostienes para una vida cada vez más expansiva, más feliz y más noble.

CAPÍTULO 18

SEAN HACEDORES

"Sean hacedores de la palabra y no solamente oidores, pues así se engañan ustedes mismos. Porque si alguno es oidor de la palabra, pero no hacedor de ella, es semejante a un hombre que mira su rostro en un espejo y después de mirarse, se va y se olvida inmediatamente qué clase de persona es. Pero el que mira atentamente a la perfecta ley, la ley de la libertad y permanece en ella, no habiéndose vuelto un oidor olvidadizo sino un hacedor eficaz, éste será bienaventurado en lo que hace". (Santiago 1:22-25)

En este versículo, *La Palabra,* significa idea, concepto o deseo. Tú te engañas a ti mismo cuando eres "solamente oidor" cuando tú esperas que tu deseo sea cumplido por simples ilusiones. Tu deseo es lo que quieres ser, y mirarte en un "espejo" es verte a ti mismo en la imaginación como esa persona.

Al olvidar "qué clase de persona es" tú estás fallando en perseverar en tu asunción. La "Ley perfecta de la libertad" es la ley que hace posible la liberación de la limitación, eso es, la ley de la asunción. Continuar en la perfecta ley de la libertad, es persistir en la asunción de que tu deseo ya se ha cumplido.

Tú no eres un "oidor olvidadizo" cuando mantienes el sentimiento de tu deseo cumplido constantemente vivo en tu conciencia. Esto te hace un "hacedor de la palabra" y eres bendecido en tu acción por la inevitable realización de tu deseo.

Debes ser hacedor de la ley de la asunción, ya que, sin su aplicación, ni el más profundo entendimiento producirá algún resultado deseado.

A través de estas páginas, corre la frecuente reiteración y repetición de las verdades más importantes y básicas. Esto es algo beneficioso en lo que se refiere a la ley de la asunción – la ley que libera al individuo. Debe ser aclarado una y otra vez, incluso a riesgo de sonar repetitivo.

El verdadero buscador de la verdad apreciará esta ayuda, concentrando su atención en la ley que lo hará libre.

La parábola sobre la condena del Maestro al sirviente que descuidó el talento que le fue dado, es muy clara e inequívoca.

Habiendo descubierto dentro de ti la llave a la Casa del Tesoro, tú deberías ser como el buen sirviente que sabiamente multiplicó los talentos que le fueron dados. El talento que se te dio es el poder de determinar conscientemente tus asunciones.

El talento no utilizado, como un miembro del cuerpo no ejercitado, se marchita y finalmente se atrofia.

En lo que debes esforzarte es en *Ser*. Para poder hacer, es necesario *ser*. El fin del anhelo es *ser*.

Tu concepto de ti mismo solo puede ser sacado desde tu conciencia por otro concepto de ti mismo.

Al crear un ideal en tu mente, tú puedes identificarte con él hasta que te conviertas en uno y lo mismo con tu ideal, transformarte así en él.

Lo dinámico prevalece por encima de lo estático; lo activo por encima de lo pasivo. El que es hacedor es magnético, por lo tanto, infinitamente más creativo que aquel que simplemente escucha. Tú debes estar entre los hacedores.

CAPÍTULO 19

ESENCIALES

Los puntos esenciales en el uso exitoso de la ley de la asunción son estos:

Primero y, sobre todo, anhelar; añorar; intenso, ardiente deseo. Debes querer ser diferente de lo que eres, con todo tu corazón. Un deseo intenso, ardiente - combinado con la intención de hacer lo bueno - es el impulso de la acción, el comienzo de toda aventura exitosa. En cada gran pasión que obtiene su objetivo, el deseo es concentrado e intencionado. Tú debes primero desear y luego tener la intención de lograrlo.

"Como el ciervo anhela las corrientes de agua, así suspira por ti, oh Dios, el alma mía" (Salmos 42:1)

"Bienaventurados los que tienen hambre y sed de justicia, pues ellos serán saciados" (Mateo 5:6)

Aquí, el alma es interpretada como la suma de todo aquello que tú crees, piensas, sientes y aceptas como verdad; en otras palabras, tu presente estado de conciencia, Dios, Yo Soy, (el poder de la conciencia), la fuente y cumplimiento de todo deseo (entendido psicológicamente,

Yo Soy una infinita serie de niveles de conciencia y Yo Soy lo que Soy, de acuerdo a donde Yo estoy en esa serie). Esta cita describe cómo tu presente nivel de conciencia desea trascenderse a sí mismo. La Justicia es la conciencia de ya ser lo que deseas ser.

Segundo, cultiva la inmovilidad física, una incapacidad física parecida al estado que Keats describe en su "Oda a un Ruiseñor": "Un pesado letargo aflige a mis sentidos, tal como si hubiera bebido cicuta".

Es un estado próximo al sueño, pero uno en el que todavía estás en control de la dirección de tu atención. Debes aprender a inducir este estado a voluntad, pero la experiencia me ha enseñado que es más fácil inducirlo luego de una gran comida, o cuando te despiertas por la mañana sintiéndote reacio a levantarte. Entonces estás naturalmente dispuesto a entrar en este estado. El valor de la inmovilidad física se muestra en la acumulación de fuerza mental que trae la absoluta quietud. Incrementa tu poder de concentración.

"Quédate quieto y sabrás que Yo soy Dios" (Salmos 46:10)

De hecho, las energías más grandiosas de la mente raramente surgen, salvo cuando que el cuerpo está quieto y la puerta de los sentidos cerrada al mundo objetivo.

La tercera y última cosa que hay que hacer, es experimentar en tu imaginación lo que experimentarías en la realidad si ya se hubiese logrado tu objetivo. Debes lograrlo primero en tu imaginación, ya que la imaginación es la puerta a la realidad de aquello que buscas. Pero utiliza tu imaginación magistralmente y no como un espectador pensando en el final, sino como un participante pensando desde el final.

Imagina que posees una cualidad o algo que deseas, que hasta ahora no ha sido tuyo. Ríndete completamente a este sentimiento hasta que tu ser completo este poseído por él. Este estado difiere del ensueño en esta manera: es el resultado de una imaginación controlada y estabilizada, atención concentrada, a diferencia que el ensueño es el resultado de una imaginación incontrolada, usualmente es solo soñar despierto.

En el estado controlado, un mínimo de esfuerzo ya es suficiente para mantener tu conciencia llena con el sentimiento del deseo cumplido. La inmovilidad física y mental de este estado es una ayuda poderosa para la atención voluntaria y el mayor factor del menor esfuerzo.

La aplicación de estos tres puntos:

(1) Deseo
(2) Inmovilidad Física
(3) La asunción del deseo cumplido.

Es el camino hacia la unificación con tu objetivo. El primer punto es pensar sobre el final deseado, con la intención de realizarlo. El tercer punto es pensar desde el final con el sentimiento de haberlo cumplido. El secreto de pensar desde el final es disfrutar serlo. El minuto en que lo haces placentero e imaginas que ya lo eres, ya estás pensando desde el final.

Uno de los malentendidos más comunes es que se piensa que esta ley funciona solo para aquellos que son devotos o que tienen objetivos religiosos. Esto es una falacia. Funciona tan impersonalmente como funciona la ley de la electricidad.

Se puede utilizar para propósitos egoístas, codiciosos como para objetivos nobles. Pero siempre se debe tener en cuenta que los pensamientos y acciones innobles inevitablemente producen consecuencias desagradables.

CAPÍTULO 20

JUSTICIA

En un capítulo anterior, *Justicia* fue definida como la conciencia de ya ser aquello que deseas ser. Este es el verdadero significado psicológico y obviamente no se refiere a la adherencia de códigos morales, leyes civiles o preceptos religiosos. No puedes no darle importancia a lo que significa ser justo. De hecho, la Biblia entera está llena de advertencias y exhortaciones respecto a este tema.

"Pon fin a tus pecados haciendo justicia" (Daniel 4:27)

"Me aferraré a mi justicia y no la soltaré. Mi corazón no reprocha ninguno de mis días" (Job 27:6)

"Mi justicia responderá por mí el día de mañana".
(Génesis 30:33)

Muy frecuentemente las palabras *Pecado y Justicia* son usadas en la misma frase. Este es un contraste lógico de opuestos y se hace muy significativo a la luz del significado psicológico de justicia y el significado psicológico de Pecado.

Pecado significa fallar al blanco. No obtener tu deseo, no ser la persona que quieres ser, es pecar. Justicia es la conciencia de que ya eres aquello que deseas ser.

Es una ley educativa inmutable que los efectos deben seguir la causa. Solo por justicia tú puedes ser salvado del pecado.

Hay una malinterpretación generalizada en cuanto a lo que significa "ser salvado del pecado". El siguiente ejemplo será suficiente para demostrar la malinterpretación y establecer la verdad:

Una persona viviendo en una extrema pobreza puede creer que, por medio de alguna actividad religiosa o filosófica, podría ser "salvado de pecado" y mejorar su vida como resultado. Sin embargo, si continúa viviendo en el mismo estado de pobreza, es obvio que lo que creía no era verdad y, de hecho, no fue "salvado".

Por otro lado, puede ser salvado por justicia. El uso exitoso de la ley de la asunción tendría el inevitable resultado de un cambio real en su vida. Él ya no viviría en la pobreza. Él ya no fallaría al blanco. Él sería salvado de pecado.

"Si su justicia no supera la de los escribas y fariseos, no entrarán en el reino de los cielos" (Mateo 5:20)

Los escribas y fariseos, significan aquellos que están influenciados y gobernados por las apariencias externas, las reglas y costumbres de la sociedad en la que viven, el vano deseo de ser bien visto por los demás. A menos que este estado de conciencia sea superado, tu vida será una de limitaciones – o de fracaso en obtener tus deseos – de fallar al blanco, de pecado. Esta justicia es superada por la verdadera justicia, que es siempre la conciencia de ser aquello que deseas ser.

Uno de los mayores problemas en intentar usar la ley de la asunción, está en enfocar tu atención en las cosas, una nueva casa, un nuevo trabajo, una cuenta bancaria más grande.

Esta no es la justicia sin la cual tu "mueres en tus pecados". La justicia no es la cosa en sí; es la conciencia, el sentimiento de ya ser la persona que quieres ser, de ya tener la cosa que quieres tener.

"Pero busquen primero el Reino de Dios y su Justicia, y todas estas cosas serán añadidas" (Mateo 6:33)

El reino (la creación entera) de Dios (tu Yo Soy) está dentro de ti. La justicia es la conciencia de que ya posees todo.

CAPÍTULO 21

LIBRE ALBEDRÍO

La pregunta que suele hacerse a menudo es "¿qué debo hacer entre la asunción del deseo cumplido y su realización?"

Nada. Es una ilusión pensar que, además de asumir el sentimiento del deseo cumplido, puedas hacer algo para ayudar a la realización de tu deseo.

Tú crees que puedes hacer algo, tú quieres hacer algo; pero realmente no puedes hacer nada. La ilusión del libre albedrío es nada más que ignorancia de la ley de la asunción, sobre la cual se basa toda acción. Todo sucede automáticamente. Todo lo que te sucede, todo lo que es hecho por ti, sucede.

Tus asunciones, conscientes o inconscientes, dirigen todo pensamiento y acción hacia su cumplimiento.

Entender la ley de la asunción, convencerte de su verdad, significa tener que deshacerse de todas las ilusiones sobre el libre albedrío de actuar. Libre albedrío en realidad significa seleccionar la idea que deseas.

Al asumir que la idea ya es un hecho, se convierte en realidad. Más allá de eso, el libre albedrío termina y todo sucede en armonía con el concepto asumido.

"Yo no puedo hacer nada por mí mismo... porque no busco mi voluntad, sino la voluntad del Padre que me envió" (Juan 5:30)

En este versículo, el Padre obviamente se refiere a Dios. En un capítulo anterior, Dios es definido como Yo Soy.

Ya que la creación está terminada, el Padre nunca está en una posición de decir "Yo seré". En otras palabras, todo existe y la conciencia infinita -Yo Soy- puede hablar solo en presente.

"No se haga mi voluntad, sino la tuya" (Lucas 22:42)

"Yo seré" es una confesión que "Yo no soy". La voluntad del Padre es siempre "Yo Soy".

Hasta que no te des cuenta que Tú eres el Padre (solo hay un Yo Soy y tu Ser infinito es ese Yo Soy), tu voluntad siempre será "Yo seré".

En la ley de la asunción, tu conciencia de ser es la voluntad del Padre. El simple deseo sin esta conciencia es "mi voluntad". Este gran versículo, tan poco entendido, es una perfecta declaración de la ley de asunción.

Es imposible hacer algo. Tú debes ser, para poder hacer. Si tuvieras un concepto diferente sobre ti mismo, todo sería diferente. Tú eres lo que eres, entonces, todo es como es.

Los eventos que tú observas son determinados por el concepto que tienes de ti mismo. Si tú cambias el concepto de ti mismo, los eventos que vendrán son alterados, pero, al alterarlos, ellos nuevamente forman una determinada secuencia a partir del momento de este cambio de concepto. Tú eres un ser con poderes de intervención que te permite, mediante un cambio de conciencia, alterar el curso de los eventos observados, de hecho, cambiar tu futuro.

Niega la evidencia de los sentidos y asume el sentimiento de tu deseo cumplido. Puesto que tu asunción es creativa y forma una atmósfera, tu asunción, si es noble, aumenta tu seguridad y te ayuda a alcanzar un nivel más alto del ser.

Por otro lado, si tu asunción es una desagradable, te entorpece y hace que tu camino descendente sea más rápido. Así como las asunciones agradables crean una atmósfera armoniosa, los sentimientos duros y amargos crean una atmósfera dura y amarga.

"Todo lo que es puro, justo, amoroso, honorable, piensa en estas cosas" (Ver Filipenses 4:8)

Esto significa hacer de tus asunciones los conceptos más altos, más nobles y más felices. No hay mejor momento para comenzar que ahora. El momento presente es siempre el más oportuno en el cual eliminar todas las asunciones desagradables y concentrarse solo en lo bueno.

Así como para ti mismo, reclama para otros su herencia Divina. Mira solo su bienestar y el bien en ellos. Elévalos a lo más alto, a la confianza y la seguridad por tu sincera asunción de su bien y tú serás su profeta y sanador, porque el inevitable cumplimiento llegará a todas las asunciones sostenidas.

Tú ganas por asunción aquello que jamás podrás ganar por la fuerza.

Una asunción es un cierto movimiento de conciencia. Este movimiento, como todo movimiento, ejerce una influencia en la sustancia que lo rodea causando que tome la forma, el eco, y refleje la asunción. Un cambio de fortuna es una nueva dirección y perspectiva, simplemente un cambio en la organización de la misma sustancia mental – la conciencia.

Si quieres cambiar tu vida, debes empezar por la fuente misma con tu propio concepto básico de ti mismo.

No es suficiente el cambio externo, ser parte de organizaciones, de cuerpos políticos, de cuerpos religiosos. La causa va más allá. El cambio esencial debe tener lugar en ti mismo, en tu concepto de ti mismo.

Debes asumir que ya eres lo que quieres ser y permanecer ahí, porque la realidad de tu asunción es completamente independiente de los hechos objetivos y se vestirá ella misma en la carne si tú persistes en el sentimiento del deseo cumplido.

Cuando sabes que las asunciones, si se persiste en ellas, se materializan en hechos, entonces los eventos que para el no iniciado parecen ser simples accidentes, serán entendidos por ti como los efectos lógicos e inevitables de tus asunciones.

Lo importante a tener en cuenta es que tú tienes infinito libre albedrío en elegir tus asunciones, pero no tienes poder para determinar las condiciones y eventos.

Tú no puedes crear nada, pero tus asunciones determinan qué porciones de la creación vas a experimentar.

CAPÍTULO 22

PERSISTENCIA

"Y él les dijo: Supongamos que uno de ustedes tiene un amigo, y a medianoche él va y le dice: 'Amigo, préstame tres panes, porque se ha presentado un amigo recién llegado de viaje y no tengo nada que ofrecerle'; y aquél que esta adentro le contesta: 'No me molestes; la puerta ya está cerrada, y mis hijos y yo estamos acostados; no puedo levantarme a darte nada'. Les digo que, aunque no se levante a darle pan por ser amigo suyo, si se levantará por su impertinencia y le dará cuanto necesite. Así que yo les digo: Pidan y se les dará; busquen y encontrarán; llamen y se les abrirá" (Lucas 11: 5-9)

Hay tres personajes principales en estos versículos, tú y los dos amigos mencionados.

El primer amigo, es el estado de conciencia deseado. El segundo amigo, es el deseo buscando cumplimiento. Tres es el símbolo de la totalidad, la terminación.

Los panes simbolizan la sustancia.

La puerta cerrada simboliza los sentidos que separan lo visible de lo invisible.

Los hijos acostados significan las ideas que están dormidas.

La incapacidad de levantarse significa que el estado de conciencia deseado no puede levantarse hacia ti, tú debes levantarte hacia él.

La Impertinencia significa exigente persistencia; algo así como una atrevida impudencia.

Pedir, buscar, llamar, significan asumir la conciencia de ya tener lo que tú deseas.

Por lo tanto, las escrituras te dicen que debes persistir en elevarte hacia (asumir) la conciencia de tu deseo ya cumplido. La promesa es definitiva en que si eres atrevido en tu impudencia de asumir que ya eres aquello que tus sentidos niegan, te será dado – tu deseo será obtenido.

La Biblia enseña en muchas de sus historias la necesidad de persistir. Cuando Jacob buscó la bendición del Ángel contra el que luchó, él dijo: "No te soltaré si no me bendices" (Génesis 32:26).

Cuando la Sunamita buscó la ayuda de Elíseo ella dijo: "Le juro que no lo dejaré solo. Tan cierto como vive el Señor y tan cierto como vive tu alma. Entonces él se levantó y la siguió" (2 Reyes 4:30)

La misma idea es expresada en otro pasaje:

Jesús les contó a sus discípulos una parábola para mostrarles que debían orar siempre, sin desfallecer. Les dijo: "Había en cierto pueblo un juez que ni temía a Dios ni respetaba a hombre alguno. En el mismo pueblo había una viuda que insistía en pedirle: 'Hágame usted justicia contra mi adversario'. Durante algún tiempo él se negó, pero después dijo para sí: 'Aunque ni temo a Dios ni respeto a hombre alguno, sin embargo, porque esta viuda me molesta, le haré justicia, no sea que por venir continuamente me agote la paciencia'" (Lucas 18: 1-5)

La verdad básica detrás de cada una de estas historias es que el deseo florece desde la conciencia del logro final y que la persistencia en mantener la conciencia del deseo ya cumplido da como resultado su cumplimiento.

No es suficiente sentirte en el estado de la plegaria respondida; tú debes persistir en ese estado. Esa es la razón del mandato: "El hombre debe orar siempre sin desfallecer" (Lucas 18:1)

Aquí, orar significa dar gracias por ya tener aquello que deseas.

Solo la persistencia en la asunción del deseo cumplido puede causar esos sutiles cambios en tu mente que resultan en el cambio deseado en tu vida. No importa si son "Ángeles", "Eliseo", o "Jueces reacios"; todos deben responder acorde a tu persistente asunción.

Cuando parece que las demás personas en tu mundo no actúan hacia ti como te gustaría, no se debe a la renuencia de su parte, sino a una falta de persistencia en tu asunción de que tu vida ya es como tú quieres que sea.

Para que tu asunción sea efectiva, no puede ser un solo acto aislado, debe ser una mantenida actitud del deseo cumplido. Y esa actitud mantenida que te lleva allí, a pensar desde tu deseo cumplido en vez de pensar sobre tu deseo, es ayudada al asumir frecuentemente el sentimiento del deseo cumplido. Es la frecuencia, no la duración de tiempo, lo que lo hace natural. Aquello a lo que constantemente vuelves, constituye tu verdadero ser. La frecuente ocupación del sentimiento del deseo cumplido es el secreto del éxito.

CAPÍTULO 23

HISTORIAS DE ALGUNOS CASOS

Será extremadamente útil en este momento citar algunos ejemplos específicos de la aplicación exitosa de esta ley. Les daré historias de casos reales. En cada uno de estos, el problema es claramente definido y se describe completamente la manera en que se utilizó la imaginación para obtener el estado de conciencia requerido. En cada una de estas instancias, el autor de este libro estuvo involucrado personalmente o le fueron contados los hechos por la persona involucrada.

CASO 1

Esta es una historia con todos los detalles, los cuales estoy personalmente familiarizado.

En la primavera de 1943, un soldado recientemente reclutado fue instalado en un gran campamento militar en Luisiana. Él estaba intensamente deseoso de salir del ejército, pero solo de una manera completamente honorable.

La única manera en que podía hacer esto, era aplicar para ser dado de baja. La aplicación requería de la aprobación de su oficial comandante para que fuera efectiva. Basado en los reglamentos militares, la decisión de su oficial era final y no podía ser apelada. El soldado, siguiendo todo procedimiento necesario, aplicó para ser dado de baja.

Dentro de cuatro horas la aplicación fue devuelta, marcada como "reprobada". Convencido de que no podría apelar la decisión a ninguna otra autoridad más alta, militar o civil, él se volvió hacia su propia conciencia, determinado a confiar en la ley de la asunción.

El soldado comprendió que su conciencia era la única realidad, que su estado particular de conciencia determinaba los eventos que encontraría.

Esa noche, en el intervalo entre meterse en la cama y quedarse dormido, él se concentró en utilizar conscientemente la ley de la asunción. En la imaginación, se sintió dentro de su departamento en la Ciudad de Nueva York. Él visualizó su departamento, es decir, en el ojo de su mente él realmente vio su propio departamento, mentalmente imaginando cada una de las habitaciones que le eran familiares con sus muebles vívidamente reales.

Con esta imagen claramente visualizada y acostado de espalda, se relajó por completo físicamente. De esta manera él indujo un estado próximo al sueño, al mismo tiempo que mantenía el control de la dirección de su atención. Cuando su cuerpo quedó completamente inmovilizado, él asumió que estaba en su propia habitación y se sintió acostado en su propia cama – un sentimiento totalmente diferente al de estar acostado en un catre militar.

En la imaginación, él se levantó de la cama, caminó de habitación en habitación, tocando varios de sus muebles. Luego fue a la ventana y con sus manos apoyadas en la parte inferior del marco, miró hacia afuera a la calle en que se encontraba su departamento. Todo esto era tan vívido en su imaginación que él vio cada detalle del pavimento, de las rejas, los árboles y el familiar ladrillo rojo del edificio de enfrente. Luego volvió a su cama y sintió como se quedaba dormido.

Él sabía que era muy importante para el exitoso uso de esta ley que, en el punto justo de quedarse dormido, su conciencia debía estar llena con la asunción de que él ya era lo que quería ser. Todo lo que hizo en la imaginación fue basado en la asunción de que él ya no estaba en el ejército. Noche tras noche, el soldado representaba este drama. Noche tras noche, en la imaginación, él se sintió honorablemente dado de baja, ya en su hogar, viendo todo el entorno familiar y quedándose dormido en su propia cama. Esto continuó durante ocho noches.

Durante ocho días, su experiencia objetiva continuaba siendo directamente opuesta a su experiencia subjetiva en la conciencia cada noche, antes de irse a dormir. Al noveno día, vinieron órdenes del cuartel general para que el soldado llenara una nueva solicitud para ser dado de baja.

Poco tiempo después de esto, él fue ordenado a reportarse en la oficina del coronel. Durante la discusión, el coronel le preguntó si todavía estaba deseoso de salirse del ejército. Al recibir una respuesta afirmativa, el coronel dijo que él personalmente estaba en desacuerdo y que, aunque tenía una fuerte objeción en aprobar la solicitud, había decidido ignorar estas objeciones y aprobarla. Y en unas pocas horas, la aplicación fue aprobada y el soldado, ahora un civil, estaba en un tren destino a casa.

CASO 2

Esta es la sorprendente historia de un hombre de negocios extremadamente exitoso, demostrando el poder de la imaginación y la ley de la asunción. Conozco a esta familia íntimamente y todos los detalles fueron contados por el hijo aquí descrito.

La historia comienza cuando él tenía veinte años de edad. Él era el segundo hijo mayor de una extensa familia de nueve hermanos y una hermana. El padre era uno de los socios de una pequeña empresa de comercio. En su decimoctavo cumpleaños, el hermano al que nos referimos en esta historia, dejó el país en el que vivía y viajó más de tres mil kilómetros de distancia para entrar en la universidad y completar su educación. Poco tiempo después de su primer año en la universidad, fue llamado que regresara a casa debido a un trágico evento relacionado con los negocios de su padre. Por unas manipulaciones de sus asociados, su padre no solo había sido forzado a salir de la empresa, sino que también había sido víctima de falsas acusaciones impugnando su persona e integridad. Al mismo tiempo, él fue privado de su legítima participación en el capital de la empresa. El resultado fue que se encontró muy desacreditado y casi sin dinero.

Fue bajo estas circunstancias que el hijo fue llamado para que regresara desde la universidad a su casa. Él volvió, con su corazón lleno con una gran resolución. Él estaba determinado en convertirse en un increíble y exitoso hombre de negocios. Lo primero que él y su padre hicieron fue utilizar el poco dinero que les quedaba para empezar su propio negocio. Ellos rentaron un pequeño local en una calle cerca de la gran empresa de la que su padre había sido uno de los principales dueños. Allí, comenzaron un negocio orientado hacia un verdadero servicio a la comunidad. Fue poco tiempo después que el hijo, con una conciencia instintiva de que funcionaría, deliberadamente utilizó la imaginación para obtener un objetivo casi fantástico.

Cada día, en su camino hacia el trabajo y volviendo del trabajo, él pasaba por el edificio de la empresa anterior de su padre – la empresa más grande del rubro en el país. Era uno de los edificios más grandes, con la ubicación más prominente en el corazón de la ciudad. Afuera del edificio había un enorme cartel en el cual, con letras grandes, estaba pintado el nombre de la firma.

Día tras día, cuando pasaba por ahí, un gran sueño tomaba forma en la mente del hijo. Él pensaba en lo maravilloso que sería si fuera su familia quien tuviera este gran edificio, si fuera su familia quien poseyera y operara esta gran empresa.

Un día, mientras estaba parado observando el edificio, en su imaginación, él vio un nombre completamente diferente en el gran cartel de la entrada. Ahora, las letras del cartel describían el nombre de su familia (en estas historias no se utilizan los nombres reales; por un asunto de claridad, en esta historia utilizaremos nombres hipotéticos y asumiremos que el nombre de la familia del hijo era Lordard).

Donde el cartel decía F. N. Moth y Co., en la imaginación, él realmente vio el nombre, letra por letra, N. Lordard e Hijos. Él permaneció mirando al cartel con sus ojos bien abiertos, imaginando que decía N. Lordard e hijos. Dos veces al día, semana tras semana, mes tras mes, por dos años, él veía el nombre de su familia en el frente de ese edificio. Él estaba convencido de que, si sentía lo suficientemente fuerte que una cosa era verdad, estaba destinado a serlo, por lo tanto, viendo en su imaginación el nombre de su familia en el edificio – lo que implicaba que ellos eran dueños de la empresa – se convenció que un día ellos serían los dueños.

Durante este período, él le dijo solo a una persona lo que estaba haciendo. Él confió en su madre, quien con amorosa inquietud intentó desalentarlo para protegerlo de lo que sería una gran decepción. A pesar de esto, él persistió día tras día.

Dos años después, la gran compañía falló y el añorado edificio estaba a la venta.

En el día de la venta, él no estaba ni un poco más cerca de ser el dueño de lo que estaba hace dos años cuando empezó a aplicar la ley de la asunción. Durante este periodo, habían trabajado duro y sus clientes tenían implícitamente una gran confianza en ellos. Sin embargo, no habían ganado nada como la cantidad de dinero requerida para comprar la propiedad. Tampoco tenían ninguna fuente de la que pudieran pedir prestado el capital necesario. Lo que hacía aún más remota la posibilidad de obtenerlo, era que este era el edificio más codiciado en la ciudad por un gran número de empresarios ricos que estaban dispuestos a comprarlo. En el día de la venta, para su completa sorpresa, un hombre, casi un total extraño, vino a su negocio y les ofreció comprar la propiedad para ellos. (Dado a unas inusuales condiciones involucradas en esta transacción, el hijo de esta familia no podía ni ofrecer un monto para la propiedad).

Ellos pensaron que este hombre les estaba haciendo una broma. Sin embargo, este no era el caso. El hombre les explicó que los había estado observando por un tiempo, admiraba su habilidad, creía en su integridad y que suministrar el capital para que ellos pudieran agrandar su negocio a gran escala, era una inversión sumamente sólida para él. Ese mismo día, la propiedad fue de ellos. Lo que el hijo había persistido en ver en su imaginación ahora era una realidad. El presentimiento de aquel extraño estaba más que justificado.

Hoy, esta familia es dueña no solo de esta empresa en particular a la que nos referimos, sino también son dueños de una de las industrias más grandes del país en el que viven.

El hijo, al ver el nombre de su familia en la entrada de este gran edificio, mucho antes de que estuviera allí, estaba usando exactamente la técnica que produce resultados. Al asumir el sentimiento de que ya tenía lo que deseaba, al hacer de esto una vívida realidad en su imaginación, con determinada persistencia, a pesar de las apariencias y circunstancias, él inevitablemente hizo que su sueño se convirtiera en realidad.

CASO 3

Esta es la historia de un inesperado resultado de una entrevista con una señora que vino a consultarme.

Una tarde, una joven abuela, una mujer de negocios de Nueva York, vino a verme. Trajo a su nieto de nueve años que había venido a visitarla desde Pensilvania. En respuesta a sus preguntas, yo le expliqué la ley de la asunción, describiendo en detalle el procedimiento a seguir para obtener un objetivo. El niño se sentó en silencio, aparentemente absorto en su pequeño camión de juguete, mientras yo le explicaba a su abuela el método de asumir un estado de conciencia que debería tener sobre su deseo cumplido.

Le conté la historia del soldado en el campamento, que cada noche se quedaba dormido imaginándose a sí mismo en su propia cama en su propio hogar.

Cuando el niño y su abuela ya se marchaban, él me miró con gran entusiasmo y me dijo "Ya sé lo que quiero, y ahora sé cómo obtenerlo". Sorprendido, le pregunte qué era lo que quería; él me dijo que quería tener un cachorro.

A esto, su abuela protestó vigorosamente, diciéndole al niño que ya le habían dejado muy en claro repetidamente que él no podría tener un perro bajo ninguna circunstancia… que su padre y su madre no lo permitirían, que el niño era muy pequeño para cuidarlo como corresponde y aún más, su padre tenía un gran desagrado por los perros, realmente odiaría tener uno en la casa.

El niño, que tan apasionadamente deseaba tener un perro, se negaba a entender estos argumentos. "Ahora sé lo que tengo que hacer" dijo él. "Cada noche, justo antes de dormir, voy a pretender que tengo un perro y que vamos a dar un paseo". "No" - dijo la abuela - "eso no es lo que el Señor Neville quiere decir. Esto no era para ti. No puedes tener un perro".

Aproximadamente seis semanas después, la abuela me contó lo que para ella era una historia asombrosa. El deseo del niño de tener un perro era tan intenso que él había absorbido todo lo que le dije a su abuela de cómo obtener el deseo de uno, y él creyó implícitamente que ya sabía cómo obtener un perro.

Poniendo esta creencia en práctica, por varias noches, el niño imaginó a un perro durmiendo en su cama junto a él. En su imaginación, él acariciaba al perro, realmente sintiendo su pelaje. Cosas como jugar con el perro y llevarlo a pasear llenaban su mente.

Dentro de unas semanas, sucedió. Un diario de la ciudad en la que el niño vivía, organizó un programa especial en conexión con la "Semana de Compasión por los Animales". Todos los niños de la escuela tenían que escribir una redacción sobre "Por qué a mí me gustaría tener un Perro".

Después de que las redacciones de todas las escuelas fueron presentadas y juzgadas, se anunció al ganador del concurso. El mismo niño que semanas antes en mi departamento en Nueva York me dijo "Ahora sé cómo obtener un perro" fue el ganador. En una elaborada ceremonia, que fue publicada con historias y fotos en el diario, el niño fue recompensado con un hermoso cachorrito Collie.

Al relatar esta historia, la abuela me contó que, si al niño le hubieran dado el dinero para comprar un perro, los padres se habrían negado a hacerlo y lo hubiera usado para comprar un bono para el niño o lo hubiesen puesto en una cuenta de ahorro en el banco para él. Además, si alguien le hubiese dado como regalo un perro al niño, lo hubieran rechazado o regalado.

Pero la manera dramática en la que el niño recibió al perro, la manera en que ganó el concurso de la ciudad, las historias y fotos en el diario, el orgullo del logro y la alegría del niño, todo combinado generó un cambio en el corazón de los padres y se encontraron haciendo lo que nunca concibieron posible, le permitieron quedarse con el perro.

La abuela me explicó todo esto y concluyó diciendo que había una clase particular de perro en la que el niño fijó su corazón. Era un Collie.

CASO 4

Esto fue contado por la tía en la historia, a toda la audiencia al final de una de mis conferencias.

Durante el período de preguntas, luego de mi conferencia sobre la ley de la asunción, una mujer que venía a muchas de mis conferencias y que había tenido consultas personales conmigo en varias ocasiones, se levantó y pidió permiso para contar una historia ilustrando como ella logró utilizar exitosamente esta ley.

Ella dijo que, regresando a casa de la conferencia de la semana pasada, ella encontró a su sobrina muy preocupada y terriblemente molesta. El esposo de la sobrina, que era un oficial en el Ejército de la Fuerza Aérea, ubicado en Atlantic City, había sido ordenado, junto con el resto de su escuadrón, al servicio activo en Europa. Sollozando, ella le dijo a su tía que la razón por la cual estaba triste era porque deseaba que su esposo fuera asignado a Florida como instructor.

Ambos amaban Florida y estaban ansiosos por ser asignados allí y a no ser separados. Al escuchar esto, la tía le dijo que había solo una cosa por hacer y eso era aplicar inmediatamente la ley de la asunción. "Vamos a realizarlo", le dijo. "Si estuvieras realmente en Florida, ¿qué harías?" sentirías la cálida brisa. Olerías el aire salado. Sentirías los dedos de tus pies hundirse en la arena. Bueno, entonces hagamos todo eso ahora mismo".

Cuarenta y ocho horas después, el marido recibió un cambio de órdenes. Sus nuevas instrucciones eran las de reportarse inmediatamente en Florida como un Instructor de Fuerza Aérea. Cinco días después, su esposa estaba en un tren para encontrarse con él. Aunque la tía, con el objetivo de ayudarla a obtener su deseo, se había unido con su sobrina asumiendo el estado de conciencia deseado, ella no fue a Florida. Ese no era su deseo. Por otro lado, era el intenso anhelo de su sobrina.

CASO 5

Este caso es especialmente interesante por el corto intervalo de tiempo entre la aplicación de la ley de la asunción y su manifestación visible.

Una mujer muy prominente vino a mí con una gran preocupación. Ella mantenía un bello departamento en la ciudad y una gran casa de campo; pero debido a las muchas exigencias que se le hacían, las cuales eran mayores que su modesto ingreso, era absolutamente esencial que rentara su departamento, y ella y su familia fueran a pasar el verano en su casa de campo.

En años previos, el departamento había sido rentado sin dificultades a principios de la primavera, pero el día que vino a verme ya había terminado la temporada de alquiler para el verano. El departamento estaba en las manos de los mejores agentes inmobiliarios por meses, pero nadie parecía estar interesado en ir a verlo.

Cuando me describió su dilema, le expliqué como la ley de la asunción podría ser utilizada para solucionar su problema. Le sugerí que, al imaginar que el departamento ya había sido rentado por una persona deseosa de ocuparlo inmediatamente y, asumiendo que esto ya había sucedido, su departamento sería realmente rentado. Para poder crear el sentimiento natural necesario – el sentimiento de que ya el departamento estaba rentado – le sugerí que esa misma noche al irse a dormir se imaginara a sí misma, no en su departamento, sino en cualquier lugar donde dormiría si su departamento fuese rentado repentinamente. Ella rápidamente captó la idea y dijo que en tal situación ella dormiría en su casa de campo, aunque no estuviese abierta aun para el verano.

Esta entrevista tomo lugar el jueves. A las nueve de la mañana del siguiente sábado, ella me llamó emocionada y feliz desde su casa de campo. Me dijo que ese jueves por la noche se había quedado dormida imaginando realmente y sintiendo que estaba durmiendo en su otra cama en la casa de campo, a muchos kilómetros del departamento de la ciudad que estaba ocupando. El viernes, el día siguiente, un inquilino muy interesante, uno que cumplía todos los requerimientos de una persona responsable, no solo alquiló el departamento, sino que lo alquiló con la condición de mudarse ese mismo día.

CASO 6

Solo el más completo e intenso uso de la ley de la asunción podría producir tales resultados en esta situación extrema.

Cuatro años atrás, un amigo de nuestra familia me pidió que hablara con su hijo de veintiocho años, el cual no se esperaba que sobreviviera.

Él sufría de una extraña enfermedad del corazón. Su enfermedad resultaba en una desintegración del órgano. Largos y costosos tratamientos médicos no habían sido útiles. Los doctores no tenían ninguna esperanza en su recuperación. Por largo tiempo, el hijo había estado postrado en cama. Su cuerpo había disminuido hasta casi ser un esqueleto, y hablaba y respiraba con gran dificultad. Su esposa y dos niños pequeños estaban en casa cuando llegué, y su esposa estuvo presente en nuestra conversación.

Empecé diciéndole que había solo una solución para cualquier problema y esa solución era un cambio de actitud. Como hablar lo agotaba, le pedí que asintiera con la cabeza si entendía claramente lo que yo le decía. A esto, él asintió.

Le describí los hechos detrás de la ley de la conciencia, de hecho, que la conciencia era la única realidad. Y le dije que la única forma de cambiar cualquier condición era cambiando su estado de conciencia concerniente a ello. Como una recomendación específica para ayudarlo a asumir el sentimiento de ya estar sano, le sugerí que, en la imaginación, viera la cara del doctor increíblemente maravillado de encontrarlo recuperado, contrario a todo razonamiento de estar en las últimas instancias de una enfermedad incurable; que lo viera examinándolo varias veces y escuchándolo decir una y otra vez "es un milagro, es un milagro".

Él no solo entendió todo esto claramente, sino que también lo creyó implícitamente. Él prometió seguir este procedimiento fielmente. Su esposa, quien había estado escuchando atentamente, me aseguró que también diligentemente utilizaría esta ley de la asunción, en su imaginación, de la misma manera que su esposo. Al día siguiente me fui para Nueva York – todo esto tomó lugar durante unas vacaciones de invierno en el trópico.

Varios meses después, recibí una carta diciendo que el hijo había tenido una milagrosa recuperación. En mi próxima visita, lo fui a ver en persona. Estaba en perfecta salud, activamente involucrado en sus negocios y vigorosamente disfrutando muchas actividades sociales con sus amigos y familiares.

Me dijo que desde el día en que me fui, no tenía ninguna duda de que la ley funcionaría. Me describió como fielmente siguió la sugerencia que le hice y día tras día vivía completamente en la asunción de que ya estaba sano y fuerte.

Ahora, cuatro años después de su recuperación, está convencido de que la única razón por la cual él está aquí hoy es gracias a su exitoso uso de la ley de la asunción.

CASO 7

Esta historia ilustra el exitoso uso de la ley por un ejecutivo de Nueva York.

En el otoño de 1950, un ejecutivo de uno de los bancos más prominentes de Nueva York me habló sobre un problema serio al cual se enfrentaba.

Me contó que la perspectiva de su progreso personal y su avance eran muy limitados. Habiendo alcanzado la mediana edad y sintiendo que un marcado ascenso en su posición y un aumento de salario eran justificados, tuvo una "charla al respecto" con sus superiores. Éstos le dijeron francamente que cualquier ascenso era imposible y lo intimidaron a que, si estaba insatisfecho, podría buscar otro trabajo. Por supuesto, esto aumentó su ansiedad.

En nuestra conversación, él me explicó que no tenía el deseo de realmente grandes cantidades de dinero, sino que quería tener un ingreso sustancial para poder mantener su hogar confortablemente y proveer para la educación de sus hijos en buenas escuelas y universidades. Él encontraba que esto era imposible con su presente ingreso. El rechazo del banco en asegurarle un avance en algún futuro cercano resultó en un sentimiento de descontento y un intenso deseo de asegurar una posición mejor con considerablemente más dinero.

Me confesó que el tipo de trabajo que le gustaría más que nada en el mundo, sería uno en el cual manejara los fondos de inversión de una gran institución tal como una fundación o una gran universidad.

Al explicarle la ley de la asunción, le dije que su situación actual era solo la manifestación de su concepto de sí mismo y le declaré que si quería cambiar las circunstancias en las que se encontraba, él podría hacerlo cambiando su concepto de sí mismo. Para poder obtener este cambio de conciencia y, por lo tanto, cambiar su situación, le pedí que siguiera este procedimiento cada noche justo antes de dormirse: En la imaginación, él debía sentir que estaba retirándose al final de uno de sus más importantes y exitosos días de su vida. Tenía que imaginarse que realmente acababa de cerrar un trato ese mismo día para ingresar a trabajar en el tipo de organización que tanto anhelaba estar y exactamente en el puesto que él quería.

Le sugerí que, si lograba llenar su mente completamente con este sentimiento, él experimentaría un definitivo sentido de alivio. En este estado, su disgusto y descontento sería algo del pasado. Él sentiría la alegría que viene con el cumplimiento del deseo. Y terminé asegurándole que, si hacía esto fielmente, inevitablemente él conseguiría el tipo de posición que deseaba.

Esto fue en la primera semana de diciembre. Noche tras noche, sin excepción, él siguió este procedimiento.

A principios de febrero, el director de una de las fundaciones más ricas en el mundo le preguntó a este ejecutivo si estaría interesado en unirse a la fundación en un puesto ejecutivo, manejando inversiones. Luego de unas breves conversaciones, él acepto.

Hoy, con un salario sustancialmente más alto y con la seguridad de un progreso estable, este hombre está en una posición que supera con creces todo lo que él esperaba.

CASO 8

El hombre y la mujer en esta historia han venido a mis conferencias por varios años. Es una ilustración interesante del uso consciente de esta ley por dos personas concentrándose en el mismo objetivo al mismo tiempo.

Este hombre y mujer eran una pareja excepcionalmente devota. Su vida era completamente feliz y enteramente libre de cualquier problema o frustración.

Por algún tiempo, habían planeado mudarse a un departamento más grande. Cuanto más lo pensaban, más se daban cuenta que lo que más deseaban en su corazón era vivir en un hermoso departamento de lujo. Al discutirlo juntos, el esposo dijo que quería uno con una enorme ventana con vista hacia un magnífico paisaje. La esposa dijo que quería que una de las paredes tuviera un espejo de arriba abajo. Ambos querían tener una chimenea de leña. Y era un requisito indispensable que el departamento estuviera en Nueva York.

Por meses buscaron tal departamento en vano. De hecho, la situación de la ciudad era tal, que asegurar cualquier tipo de departamento era casi imposible. Eran tan escasos, que no solo había listas de espera por ellos, sino que estaban involucrados todo tipo de tratos especiales incluyendo primas, la compra de muebles, etc.

Los departamentos nuevos eran alquilados muchos antes de que fueran terminados, muchos de los cuales ya estaban rentados desde los planos del edificio.

A principios de la primavera, luego de meses de búsqueda sin resultados, finalmente encontraron uno que consideraron seriamente. Era un departamento pent-house en un edificio recientemente terminado en la Quinta Avenida frente a Central Park. Tenía un gran inconveniente. Siendo un edificio nuevo, no estaba sujeto al control de renta y la pareja sentía que el alquiler anual era desorbitante. De hecho, era varios miles de dólares al año más de lo que ellos habían considerado pagar.

Durante los meses de primavera, marzo y abril, continuaron viendo varios pent-houses a través de la ciudad, pero siempre volvían a éste.

Finalmente, decidieron incrementar sustancialmente el monto que pagarían y le hicieron una proposición al agente por el edificio para que se lo sugiriera a los dueños, a ver si lo consideraban.

Fue en este punto, sin discutirlo entre ellos, que cada uno de ellos se determinó aplicar la ley de la asunción. No fue hasta después, que se enteraron lo que el otro había hecho.

Noche tras noche, ambos se quedaban dormidos, en su imaginación, en el departamento que estaban considerando. El esposo, recostado con sus ojos cerrados, se imaginaba que las ventanas de su dormitorio daban al parque. Se imaginaba yendo a la ventana a primera hora de la mañana y disfrutando la vista. Se sintió a sí mismo sentado en la terraza con vista al parque, tomando tragos con su esposa y amigos, disfrutándolo todo absolutamente. Él llenó su mente con el sentimiento de estar en el pent-house y en la terraza. Durante todo este tiempo, sin saberlo, su esposa estaba haciendo lo mismo.

Pasaron varias semanas sin ninguna decisión de parte de los dueños, pero ellos continuaron imaginando al irse a dormir, cada noche, que ya estaban durmiendo en el pent-house.

Un día, para su completa sorpresa, uno de los empleados en el edificio en el que vivían les dijo que el pent-house en su edificio estaba disponible. Estaban asombrados, porque su edificio era uno de los más deseados de la ciudad con una perfecta ubicación justo en Central Park. Sabían que había una larga lista de espera de personas que trataban de tener un departamento en el edificio en que vivían. El hecho de que un pent-house estuviera inesperadamente disponible, se mantuvo en silencio por la administración porque no estaban en posición de considerar ningún solicitante para él. Al enterarse de que estaba disponible, esta pareja inmediatamente hizo una petición para que se les rentara a ellos, pero se les dijo que era imposible. El hecho era que, no solo había varias personas en lista de espera para un pent-house en el edificio, sino que además, ya se lo habían prometido a una familia. A pesar de esto, la pareja tuvo varias reuniones con la administración, con la conclusión de que el departamento finalmente fue para ellos.

Este edificio sí estaba bajo control de rentas, su alquiler fue justo lo que ellos habían planeado pagar cuando empezaron a buscar un pent-house. La ubicación, el departamento mismo y la gran terraza rodeándola al Sur, Oeste y Norte estaba más allá de todas sus expectativas, y en un costado, en el living, había una ventana gigante de 4.5

x 2.5 metros, con una magnifica vista de Central Park; una pared de espejo del piso al techo y también había una chimenea a leña.

CAPÍTULO 24

FRACASO

Este libro no estaría completo sin alguna discusión sobre el fracaso en el intento de usar la ley de la asunción.

Es completamente posible que ya hayas tenido o tendrás un número de fracasos en este sentido – muchos de ellos en asuntos importantes.

Si, habiendo leído este libro, habiendo tenido un profundo conocimiento de la aplicación y funcionamiento de la ley de la asunción, la aplicas fielmente con la intención de obtener un intenso deseo y fallas, ¿cuál es la razón? Si a la pregunta "¿Persististe lo suficiente?" tú puedes responder "Si" – y aun así no has obtenido la realización de tu deseo, ¿cuál es la razón del fracaso?

La respuesta a esto es el factor más importante en el uso exitoso de la ley de la asunción.

El tiempo que toma tu asunción en convertirse en hecho, en cumplirse tu deseo, es directamente proporcional a la naturalidad de tu sentimiento de ya ser lo que deseas ser – de ya tener lo que deseas.

El hecho de que no se sienta natural para ti ser aquello que imaginas ser, es el secreto de tu fracaso.

Independiente de lo que desees, independiente de que tan fielmente e inteligentemente sigas la ley, si no sientes natural aquello que deseas ser, no lo serás. Si no se siente natural para ti obtener un trabajo mejor, no obtendrás un trabajo mejor. Todo el principio es bien expresado en la frase de la Biblia "morirás en tus pecados" (Juan 8:24), no trasciendes de tu nivel presente al del estado deseado.

¿Cómo se puede obtener este sentimiento de naturalidad? El secreto está en una palabra, *imaginación*. Por ejemplo, esta es una ilustración muy simple: imagina que estás encadenado a un pesado banco de hierro. Tú no podrías correr, de hecho, no podrías ni caminar. En estas circunstancias no sería natural para ti correr. No podrías ni siquiera sentir que es natural para ti correr. Pero podrías fácilmente imaginarte corriendo. En ese instante, mientras tu conciencia está llena con tu carrera imaginada, te has olvidado que estás encadenado. En tu imaginación, correr fue completamente natural.

El sentimiento esencial de naturalidad puede ser obtenido llenando persistentemente tu conciencia con imaginación – imaginando que ya eres aquello que quieres ser o teniendo aquello que deseas.

El progreso solo puede surgir de tu imaginación, de tu deseo de trascender tu presente nivel. Lo que realmente y literalmente debes sentir es que, con tu imaginación, todas las cosas son posibles.

Debes darte cuenta que los cambios no son causados por capricho, sino por un cambio de conciencia. Podrás fallar en obtener o sostener el particular estado de conciencia necesario para producir el efecto de tu deseo. Pero, una vez que sabes que la conciencia es la única realidad y es el único creador de tu mundo particular, y has grabado completamente esta verdad en tu ser, entonces sabrás que el éxito o el fracaso están enteramente en tus propias manos.

Si eres o no bastante disciplinado como para sostener el estado de conciencia requerido en instancias específicas, no tiene nada que ver con la verdad de la ley misma – que una asunción, si se persiste en ella, se manifestará en hecho.

La certeza de la verdad de esta ley debe permanecer a pesar de grandes decepciones y tragedias – aun cuando "veas la luz de la vida apagarse y todo el mundo seguir como si todavía fuera de día". No debes creer que, porque tu asunción falló en materializarse, la verdad de que las asunciones se materializan es mentira. Si tus asunciones no son cumplidas, es por algún error o debilidad en tu conciencia. No obstante, estos errores y debilidades pueden superarse.

Por lo tanto, persiste en obtener niveles más altos sintiendo que ya eres la persona que quieres ser. Y recuerda que el tiempo que lleva tu asunción en materializarse es proporcional a la naturalidad de ya serlo.

"El hombre se rodea con la verdadera imagen de sí mismo. Cada espíritu construye para sí mismo una casa; y más allá de la casa, un mundo; y más allá del mundo, un cielo. Entonces, debes saber que el mundo existe para ti. Para ti el fenómeno es perfecto. Lo que somos, es lo único que podemos ver. Todo lo que tenía Adán, todo lo que podía el César, tú lo tienes y lo puedes hacer. Adán llamó a su casa, cielo y tierra. El César llamó a su casa, Roma; tú quizás llamas a la tuya, un oficio de zapatero, unos cientos de acres en tierras, o un desván de estudiante. Aun así, línea por línea y punto por punto, tu dominio es tan grande como el de ellos, aunque sin un gran nombre. Construye, por lo tanto, tu propio mundo. Tan pronto como ajustes tu

vida a la idea pura en tu mente, así se desplegará en gran proporción".
-Emerson

CAPÍTULO 25

FE

Un milagro es el nombre dado, por aquellos que no tienen fe, a las obras de la fe.

"La fe es la certeza de lo que se espera, la convicción de lo que no se ve" (Hebreos 11:1)

La razón misma para la ley de la asunción está contenida en esta frase.

Si no hubiera una conciencia profundamente asentada de que aquello que deseas tiene sustancia y es posible de obtener, sería imposible asumir la conciencia de serlo o de tenerlo. Lo que te lleva a la esperanza es el hecho de que la creación ya está terminada y que todo ya existe – y la esperanza, a cambio, implica expectativa, y sin expectativa de éxito sería imposible usar conscientemente la ley de la asunción. La "evidencia" es un signo de realidad.

Por lo tanto, esta frase significa que la fe es la conciencia de la realidad de aquello que tú asumes (una convicción de la realidad de las cosas que no ves, la percepción mental de la realidad de lo invisible).

En consecuencia, es obvio que la falta de fe significa incredulidad en la existencia de aquello que deseas.

Ya que aquello que experimentas es la fiel reproducción de tu estado de conciencia, la falta de fe significará constante fracaso en cualquier uso consciente de la ley de la asunción.

En todos los tiempos de la historia, la fe ha desempeñado un rol muy importante. Se extiende por todas las religiones del mundo, está entrelazada a través de toda la mitología, sin embargo, hoy es casi universalmente malentendida.

Contrario a la opinión popular, la eficacia de la fe no es el resultado de las obras de algún agente externo. De principio a fin, es una actividad de tu propia conciencia.

La Biblia está llena de muchas explicaciones sobre la fe, del verdadero significado de lo que muy pocos están conscientes. Estos son algunos ejemplos típicos:

"Porque a nosotros también se nos ha anunciado la buena nueva, como a ellos; pero no les aprovechó el oír la palabra, por no ir acompañada de fe en los que la oyeron" (Hebreos 4:2)

En este versículo, el "nosotros" y el "ellos" deja en claro que todos nosotros escuchamos el evangelio.

"El evangelio" significa "buenas noticias". Obviamente, para ti las buenas noticias significarían que has obtenido tu deseo. Esto es siempre "predicado" por tu ser infinito. Escuchar que aquello que deseas ya existe y que solo necesitas aceptarlo en la conciencia, son buenas noticias. "No ir acompañada de fe" significa negar la realidad de aquello que deseas. Por lo tanto "no les aprovechó" (no hubo logro).

"¡Oh generación incrédula y perversa! ¿Hasta cuándo estaré con ustedes?" (Mateo 17:17)

El significado de "incrédula" es bastante claro. "Perversa" significa volverse hacia la dirección equivocada, en otras palabras, la conciencia de no ser lo que deseas ser. Ser incrédulo, es decir, no creer en la realidad de aquello que asumes, es ser perverso.

"¿Hasta cuándo estaré con ustedes?" significa que el cumplimiento de tu deseo se basa en tu cambio hacia el estado de conciencia correcto. Es como si aquello que deseas te estuviera diciendo que no será tuyo hasta que te vuelvas de ser incrédulo y perverso a la justicia. Como ya se dijo, la justicia es la conciencia de ya ser aquello que deseas ser.

"Por la fe, él salió de Egipto sin temer la ira del rey, porque se mantuvo firme como viendo al Invisible" (Hebreos 11:27)

"Egipto" significa oscuridad, creencia en muchos dioses (causas). El "rey" simboliza el poder de las condiciones y circunstancias externas. "Él" es tu concepto de ti mismo como ya siendo aquello que quieres ser. "Se mantuvo firme como viendo al Invisible" significa persistir en la asunción de que aquello que deseas ya ha sido cumplido. Por lo tanto, este versículo significa que, al persistir en la asunción de que ya eres la persona que quieres ser, te elevas por sobre toda duda, miedo y creencia en el poder de las condiciones y circunstancias externas, entonces, tu mundo inevitablemente se ajusta a tu asunción.

Las definiciones de Fe en el diccionario, "el ascenso de la mente o entendimiento de la verdad", "fidelidad inquebrantable hacia el principio", son tan pertinentes que probablemente las han escrito teniendo en mente la ley de la Asunción.

La Fe no pregunta – la Fe sabe.

CAPÍTULO 26

DESTINO

Tu destino es aquello que inevitablemente debes experimentar. Realmente hay un número infinito de destinos individuales, cada uno de ellos, cuando es obtenido, es el inicio para un nuevo destino.

Como la vida es infinita, el concepto de un destino final es inconcebible. Cuando entendemos que la conciencia es la única realidad, sabemos que es el único creador. Esto significa que tu propia conciencia es la creadora de tu destino. El hecho es que tú estás creando tu destino todo el tiempo, ya sea que lo sepas o no.

Muchas de las cosas buenas e incluso maravillosas han llegado a tu vida sin que tú tengas la menor idea de que tú fuiste el creador de ellas. Sin embargo, entender las causas de tu experiencia y saber que tú eres el creador de los contenidos de tu vida, ya sean buenos o malos, no solo te hace un observador mucho más agudo de todos los fenómenos, sino que, a través del reconocimiento del poder de tu propia conciencia, intensificas tu apreciación de la riqueza y grandiosidad de la vida.

Independiente de ocasionales experiencias que indiquen lo contrario, tu destino es elevarte a estados de conciencia cada vez más altos y manifestar más y más de las infinitas maravillas de la creación.

De hecho, tú estás destinado a alcanzar el punto en el que te das cuenta que, a través de tus propios deseos, puedes crear conscientemente tus sucesivos destinos.

El estudio de este libro, con su detallada exposición sobre la conciencia y la operación de la ley de la asunción, es la llave maestra para alcanzar conscientemente tu destino más elevado.

Empieza tu nueva vida hoy mismo. Toma cada experiencia con un nuevo estado de ánimo – con un nuevo estado de conciencia.

Asume lo más noble y lo mejor para ti mismo en cada aspecto, y continúa haciéndolo.

Créelo – grandes maravillas son posibles.

CAPÍTULO 27

REVERENCIA

"No aborreces nada de lo que has hecho; si hubieras odiado alguna cosa, no la habrías creado" (Sabiduría 11:24)

En toda la creación, en toda la eternidad, en todos los reinos de tu ser infinito, el hecho más maravilloso es éste que es mencionado en el primer capítulo de este libro. Tú eres Dios. Tú eres el "Yo Soy el que Yo Soy"

Tú eres Conciencia. Tú eres el creador. Este es el misterio, este es el gran secreto conocido a través de los tiempos por los videntes, los profetas, los místicos. Esta es la verdad que nunca podrías conocer intelectualmente.

¿Quién es este "tú"? Que tú eres Juan Pérez o María Gómez, es absurdo. Es la Conciencia la que sabe que tú eres Juan Pérez o María Gómez. Es tu Ser más Grande, tu Ser más Profundo, tu Ser Infinito. Llámalo como quieras. Lo importante es que está dentro de ti, eres tú, es tu mundo.

Este hecho es el que está detrás de la inmutable ley de la asunción. Por este hecho se construye tu propia existencia. Este hecho es el fundamento de cada capítulo de este libro. No, no puedes saber esto intelectualmente, no puedes debatirlo, no puedes corroborarlo. Solo puedes sentirlo. Solo puedes ser consciente de ello.

Al ser consciente de esto, una gran emoción permeabiliza todo tu ser. Vives en un perpetuo sentimiento de reverencia. El conocimiento de que tu creador es tu propio ser y que nunca te hubiera creado si no te hubiese amado, debe llenar tu corazón de devoción, si, con adoración.

Un vislumbre con conocimiento del mundo alrededor tuyo, en cualquier instante, es suficiente para llenarte de profundo asombro y sentimiento de adoración. Cuando tu sentimiento de reverencia es más intenso es cuando estás más cerca de Dios, y cuando estás más cerca de Dios, tu vida se enriquece.

Nuestros más profundos sentimientos son precisamente aquellos que nos cuesta más expresar y aun en el acto de adoración, el silencio es nuestra más alta alabanza.

Fin

Sabiduría de Ayer, para los Tiempos de Hoy

www.wisdomcollection.com